De Slimbo's

Raadsels rond het kasteel

Lees ook de andere delen in de serie De Slimbo's:

Deel 1: *Dieven in het museum*
Deel 2: *Supermarkt in brand*
Deel 3: *De verdwenen verhuiswagen*

Judith van Helden

Raadsels rond het kasteel

Met tekeningen van Iris Boter

Raadsels rond het kasteel
Judith van Helden

ISBN 978-90-8543-103-9
NUR 283

Ontwerp omslag: BlauwBlauw, Caroline Torenbeek
Illustraties omslag en binnenwerk: Iris Boter
Opmaak binnenwerk: Gerard de Groot

Uitgeverij Columbus is onderdeel van Uitgeversgroep Jongbloed te Heerenveen

www.jongbloed.com
www.leukekinderboeken.nl

Speurdersclub

DE SLIMBO'S

Hierbij verklaren wij, dat wij speurdersclub De Slimbo's hebben opgericht. Deze speurdersclub is geheim en helpt iedereen die speurhulp nodig heeft. Wij beloven dat we ons aan de volgende regels houden:

1. We praten met niemand over De Slimbo's (alleen met elkaar).
2. We vergaderen zo vaak dat nodig is, in ons hoofdkwartier.
3. We betalen allemaal contributie, zodat we daar belangrijke spullen van kunnen kopen.
4. We maken geen ruzie met elkaar.

Hoogachtend,

Björn Veldman, voorzitter
Esmee de Waag, spion
Alex Duchin, uitvinder
Maaike Veertens, codekraker

1.

'Hier is het.' Alex stapt van zijn fiets en maakt een uitnodigend gebaar richting een brede oprijlaan.
Maaike en Esmee springen ook van hun fiets en Björn volgt hun voorbeeld. Hij kijkt met zijn hand boven zijn ogen tegen de zon in. 'Dus dit is het kasteel van Annechien von Brockel?'
Aan het einde van de oprijlaan rijst een klein kasteel op. De muren zijn van grijze steen en de vier hoeken van het kasteel hebben een ronde toren. Een smalle gracht loopt om het kasteel heen en de enige toegang is over een grote brug die precies bij de poorten uitkomt.
'Het ziet er wel mooi uit', vindt Esmee. 'Ik vind dat je een leuk onderwerp voor ons geschiedeniswerkstuk hebt bedacht, Alex.'
Alex knikt tevreden. 'Ik ook.'
'Ik weet niet of we een heel werkstuk kunnen maken als we hier blijven staan, hoor', grinnikt Maaike. 'Volgens mij kunnen we wel even naar binnen. Het hek is open en de poort van het kasteel ook.'
Alex knikt en zet zijn fiets weg. 'Iedere woensdagmiddag en zaterdag is het kasteel open voor bezoekers. Rondkijken is gratis en een boekje met informatie kost twee euro.'
Björn schiet in de lach. 'Je hebt je huiswerk goed gedaan.' Hij geeft zijn vriend een mep op zijn schouder.
Alex lacht ook. 'Ik heb gewoon even op internet gekeken. Ik had geen zin om hier helemaal voor niets naartoe te fietsen.'
Al pratend lopen ze de oprijlaan op. Het grind knerpt onder hun voeten.
Bij de brug staat een grote vlaggenstok waar een rode vlag aan wappert. Aan de stok is ook een bord bevestigd.

'Welkom in kasteel Von Brockel', leest Maaike hardop voor. 'Kijkt u rustig rond.'
Ze lopen de brug over en een paar minuten later dwalen ze door het kasteel. Ze zijn niet de enige bezoekers. Bijna in iedere ruimte die ze betreden, loopt wel iemand.
'Wat veel oude mensen zijn hier', fluistert Esmee.
'Ja, dat was mij ook al opgevallen', knikt Björn. 'Maar volgens mij stond er op de parkeerplaats een grote bus. Ik denk dat dit een uitje is, van een bejaardentehuis of zoiets.'
Hij kijkt nog eens om zich heen. Er is eigenlijk maar één vrouw die niet zo oud is. Hooguit een jaar of dertig. Ze heeft rood krullend haar en loopt kennelijk dezelfde route als de Slimbo's, want bijna in iedere zaal waar ze zijn, komt de vrouw ook binnen. Als de vrouw ziet dat Björn naar haar kijkt, draait ze zich snel om. Het is net of ze schrikt. Vreemd.
Björn draait zich weer om naar het harnas in de hoek van de eetzaal, maar hij houdt vanuit zijn ooghoeken de vrouw in de gaten.
'Kijk, een trap naar beneden. Die komt vast in de keuken uit. Zullen we een kijkje nemen?'
Maaike wacht niet eens op antwoord maar begint de steile trap al af te dalen. Esmee en Alex volgen haar enthousiast en ook Björn loopt de trap af. Beneden blijft hij expres een beetje in de buurt van de trap rondhangen.
En ja hoor, net wat hij al dacht. De vrouw met het rode haar komt weer achter hen aan. Björn gaat half achter een grote, houten ton staan. De vrouw ziet hem niet en loopt hem voorbij. Björn bekijkt haar nog eens goed. Ze draagt een spijkerbroek, een sportief, groen vest en blauwe gympen. De veters van de linkergymp zitten los. Kennelijk heeft de vrouw het zelf ook net door, want ze blijft plotseling staan en bukt zich om haar veters te strikken. Haar vest gaat daarbij iets omhoog. Björn houdt zijn adem in: aan haar riem heeft de vrouw een zendertje hangen.

Een klein, rood lampje geeft aan dat het zendertje aanstaat. Waarom zou iemand een zendertje aan zijn broek hangen bij het bekijken van een kasteel?
De vrouw staat weer op en draait zich om. Ze kijkt Björn nu recht aan. Terwijl ze dat doet, schuift ze met een hand haar rode haren over haar oor, maar het is al te laat. Björn ziet duidelijk een microfoontje in haar oor zitten. Dat zal wel bij het zendertje aan haar riem horen.
Plotseling dringt het tot Björn door dat hij wel heel onbeleefd naar de vrouw staat te staren. Hij knikt vriendelijk. 'Ik wilde u net waarschuwen dat uw veter loszat, maar gelukkig had u het zelf al door voordat er ongelukken gebeurden.'
'Oh, eh ... ja.' De vrouw stamelt wat en staart naar haar schoenen.
'Zullen wij weer naar boven gaan? We hebben het hier wel weer gezien, toch?' Björn kijkt veelbetekenend naar de andere Slimbo's en klimt de trap weer op.
'Wat heb jij ineens?' Maaike kijkt hem verbaasd aan als ze weer in de eetzaal zijn beland. 'Je hebt amper twee stappen in de keuken gezet. Vind je het niet interessant?'
'Ssst!' Björn trekt zijn vrienden wat opzij. 'Ik kan nu niet alles uitleggen, maar ik vertrouw die vrouw daar beneden niet. Jullie moeten snel de torentrap opklimmen en hard tegen elkaar praten. Ik verstop me hier om te kijken wat die vrouw doet als ze weer naar boven komt. Doe maar net of ik nog bij jullie ben.'
Alex trekt zijn wenkbrauwen op en opent zijn mond, maar Björn schudt geërgerd zijn hoofd. 'Snel, ze kan er elk moment aankomen!'
Esmee is de eerste die de deur naar de torentrap opentrekt. 'Kom op Björn, ik denk dat we boven een prachtig uitzicht hebben door de schietgaten.'
Terwijl Esmee, Alex en Maaike de toren beklimmen, kijkt Björn om zich heen. Het harnas. Dat staat in een donkere hoek. Als hij

daarachter gaat staan, kan de vrouw hem niet zien als ze de keuken uitkomt, maar kan hij haar wel in de gaten houden.
Zo snel en voorzichtig mogelijk kruipt hij achter het harnas.
Er gaat een minuut voorbij. En daarna nog een paar. Björn gaat voorzichtig een beetje anders staan. Hij wacht nog een tijdje, maar de vrouw met het rode haar komt niet naar de eetzaal.
Björn wordt een beetje ongeduldig. Waar blijft ze nu? Zoveel was er toch ook weer niet te zien in de keuken?
Uiteindelijk besluit hij om zelf maar weer naar beneden te gaan. Zachtjes sluipt hij de stenen trap af naar de keuken. Als hij bijna beneden is, houdt hij stil. Uitkijken nu, want als hij de bocht om is, kan de vrouw hem zien. Hij spitst zijn oren, maar hij hoort geen enkel geluid. Zou de vrouw hem opwachten? Maar waarom? Hij besluit het er maar gewoon op te wagen en heel langzaam steekt hij zijn hoofd om de hoek. En dan knippert hij met zijn ogen.
Dit kan niet. Er is helemaal niemand in de keuken te bekennen.

2.

'Heb je nog cola en chips boven?'
Björn kijkt Maaike grijnzend aan. 'Natuurlijk heb ik dat. Hoe moeten we anders vergaderen?'
De Slimbo's zijn bij Björn thuis, hun hoofdkwartier is bij hem op zolder.
Achter elkaar lopen ze de trap op naar Björns kamer.
Björn opent zijn kast en morrelt wat aan de bodem. Even later schuift de achterwand van zijn kast opzij en verschijnt er een klein liftje.
'Dames eerst.' Hij stapt uitnodigend opzij.
Esmee en Maaike kijken elkaar verbluft aan.
'Nou nou, wat een beleefdheid ineens.' Esmee stapt naar voren en verdwijnt in de lift.
De lift biedt maar plaats aan een persoon tegelijk en dus duurt het even voordat ze allemaal boven zijn.
Björn is de laatste. Voor hij in de lift stapt, doet hij de deuren van zijn kast goed dicht. Mocht zijn moeder ineens op zijn kamer komen, dan zal ze niets bijzonders zien. Want zelfs zij weet niet dat hij een lift in zijn kamer heeft die op een speciaal gedeelte van de zolder uitkomt.
Boven is Maaike al bezig om vier glazen cola in te schenken en Alex trekt net een grote zak paprikachips open.
'Vertel nu maar eens snel wat er aan de hand is', zegt Esmee. Ze zit op de hoek van het kleine bureautje en slaat haar armen over elkaar heen.
Björn neemt nog snel een glas cola en vertelt dan alles wat hij in het kasteel heeft ontdekt.
'Dus volgens jou achtervolgde die vrouw ons de hele tijd en

verdween vervolgens zomaar van de aardbodem?' Alex kijkt ongelovig.
'Ja, daar leek het wel op.'
De Slimbo's zwijgen. Iedereen denkt diep na.
'Ik ben het helemaal met je eens dat dit een zaak voor onze speurdersclub is. Maar ik heb geen idee hoe we dit aan moeten pakken', zucht Maaike uiteindelijk.
'Ik denk dat we eerst maar eens op internet moeten kijken', besluit Björn. 'Er is vast wel iets over de geschiedenis van het kasteel te vinden. Misschien staat er iets over geheime gangen. Er moet haast nog wel een uitgang in de keuken zijn.'
Alex zit al achter de computer. Hij klikt en schuift wat met de muis en even later verschijnt de site van kasteel Von Brockel op het scherm. De anderen buigen zich over zijn schouders om mee te lezen.
'Het enige interessante dat ik lees, is dat stukje over de kastelendag, volgende week zaterdag', zucht Esmee.
Björn knikt. 'Dat lijkt me ook wel leuk.'
Volgens de website is er van alles te doen tijdens de kastelendag. Het kasteel is uiteraard weer gratis toegankelijk, maar er lopen ook ridders en jonkvrouwen rond, er zijn oude ambachten te bekijken, er is een muziekgezelschap dat middeleeuwse muziek zal laten horen en voor de kinderen is er een detectivespel in de kasteeltuin.
Maaike is ook enthousiast. 'Zullen we daar naartoe gaan? We kunnen vast heel veel te weten komen over het kasteelleven van vroeger. Dat is wel handig voor ons werkstuk. Maar misschien kunnen we ook nog wel even op onderzoek uit gaan. Misschien ontdekken we nog iets dat we vandaag over het hoofd hebben gezien.'
Alex sluit de internetverbinding af en knikt. 'Ik vind het prima. Dat er niks op de site staat over geheime gangen, wil niet zeggen dat die er niet zijn.'

Björn schiet in de lach. 'Jij gaat er geloof ik al helemaal vanuit dat ze er wél zijn. Ik denk dat het in dat geval echt wel op de site had gestaan. Dat trekt juist mensen.'
Alex fronst zijn wenkbrauwen. 'Maar hoe is die vrouw dan uit de keuken verdwenen?'
Björn haalt zijn schouders op. 'Ik weet het niet.'
Hij schenkt nog een keer cola in en opent de volgende zak chips. Ook die is binnen de kortste keren leeg en dan staat Esmee op. 'Ik ga naar huis. Mijn vader zal het eten wel bijna klaar hebben.'
Maaike en Alex knikken en staan ook op. Een voor een gaan ze met de lift naar beneden.
'Wil je de kastdeuren sluiten beneden?' vraagt Björn aan Alex, die als laatste in de lift stapt. 'Ik denk dat ik hier nog even blijf.'
Alex knikt en is een paar tellen later verdwenen. Nog een paar tellen later vliegt Björn van schrik bijna van de bank. Bam! Er klinkt een harde knal van beneden. Alex slaat de kastdeuren wel heel hard dicht.
Björn zucht en rekt zich uit. Waar heeft hij zijn opschrijfboekje ook alweer gelaten? Oh, daar ligt het. Onder het bureau. Met zijn voet schuift hij het kleine boekje naar zich toe en ondertussen speurt hij rond naar een pen. Die is verdwenen, maar gelukkig ligt er nog een stompje potlood naast het beeldscherm van de computer.
Hij bladert door zijn boekje op zoek naar een lege bladzijde, likt even aan de stompe potloodpunt en begint dan te schrijven.

Zaak 4: raadsels rond het kasteel
Wanneer: woensdag, 7 april
Waar: kasteel Von Brockel
Wat: een vrouw met rood haar achtervolgde ons door het kasteel. Aan haar riem zat een zendertje en in haar oor een microfoontje. In de keuken was ze plotseling verdwenen. Voor zover wij konden zien, was er maar één uitgang (de trap naar

de eetzaal) en daar is ze niet langs gegaan. Maar hoe kon ze dan de keuken uitkomen? En waarom achtervolgde ze ons? En waar was dat microfoontje voor?

Hij leest zijn aantekeningen nog eens over en schudt zijn hoofd. Hij snapt er nog steeds helemaal niets van. Maar één ding weet hij wel. Dit moet uitgezocht worden.
Volgende week zaterdag is de kastelendag. Is dat niet te laat? Het spoor is nu nog vers. Hij denkt even na.
Morgen is het donderdag, dan hebben ze verder geen bijzondere dingen na schooltijd. Misschien kunnen ze nog een keer naar het kasteel gaan. Dan is het kasteel gesloten voor bezoekers, maar echte speurders vinden vast wel een manier om het terrein op te komen.

3.

'Denk je echt dat het zin heeft om op donderdagmiddag naar een gesloten kasteel te gaan?'
Alex kijkt met een rood hoofd opzij naar Björn, en dan achter zich. Een meter of dertig achter hen fietsen Maaike en Esmee.
De school is net afgelopen en de Slimbo's zijn weer op weg naar het kasteel. Het waait behoorlijk en ze hebben de wind natuurlijk precies tegen.
'Je weet het maar nooit', grinnikt Björn. 'Wie weet wat voor criminelen daar nu rondlopen.'
'Nou, als ik had geweten dat het zo hard waaide, had ik mijn WMM meegenomen.'
Björn houdt op met trappen. 'Je weejemem? Wat is dat?'
'Mijn Wind-Mee-Machine. Een apparaatje dat op een uitlaat lijkt en dat ervoor zorgt dat je altijd de wind mee hebt.'
Björn ontdekt dat hij bijna helemaal stil staat en begint snel zijn pedalen weer rond te trappen. 'Een Wind-Mee-Machine. Hoe kom je nou weer op dat idee?'
Het gezicht van Alex wordt nog roder, bijna paars. 'Nou, ehm ... ik liet laatst per ongeluk een heel harde wind en toen voelde het net alsof ik een eindje van mijn stoel vloog. En toen dacht ik ...'
'Hou maar op! Ik snap het al.' Björn hangt slap van het lachen over zijn stuur. Zijn gezicht is bijna nog paarser dan dat van Alex.
'Wat is er hier zo grappig?' Maaike en Esmee halen hen in en kijken verbaasd naar Björn die nu midden op straat op de grond zit. De lachtranen rollen hem over zijn wangen.
Terwijl hij ze afveegt, hikt hij: 'Alex liet laatst een keiharde scheet en toen ... ha, ha, ha!'

Esmee en Maaike kijken elkaar verbaasd aan. 'Wat is daar nou leuk aan?'
Maaike trekt haar neus op en tikt met haar vinger op haar voorhoofd. 'Ik fiets vast door hoor. Ik heb het idee dat er een enorme hoosbui aan zit te komen.'
Björn kijkt naar boven en ziet inderdaad een grijze lucht boven zich die iedere minuut donkerder lijkt te worden. Terwijl hij nog wat nagrinnikt, klautert hij weer op zijn fiets en na tien minuten doortrappen zijn de Slimbo's eindelijk bij het kasteel.
'Zullen we onze fietsen hier in de greppel leggen? Dan vallen ze niet zo op.'
Björn geeft zelf het goede voorbeeld door zijn fiets voorzichtig in de droogstaande greppel te laten zakken. Hij is nu inderdaad niet meer te zien vanaf de straat.
'En nu?' Alex rammelt aan het toegangshek dat nu dicht is en met een zwaar hangslot op slot zit.
'Het hek volgen', oppert Esmee. 'Misschien zit er ergens een gat of iets dergelijks waar we doorheen kunnen.'
'Goed idee.' Björn begint te lopen.
Ze zijn al voor driekwart om het kasteel heen gelopen als hij plotseling blijft staan. 'Kijk, dit is misschien een mogelijkheid.'
Alex, Maaike en Esmee kijken verbaasd. 'Hier? Hier is het hek haast nog hoger dan op andere plaatsen.'
'Klopt', knikt Björn. Hij ritst zijn jas open en wijst op een touw dat hij om zijn middel heeft gerold. 'Maar ik had al op zoiets gerekend en met dit touw moet het een fluitje van een cent zijn.'
Alex en Esmee kijken verbaasd, maar op het gezicht van Maaike breekt een grote glimlach door. 'Natuurlijk, daar had ik zelf ook wel op kunnen komen.'
'Wat heb je nu aan dat touw?' moppert Esmee. 'Wil je dat aan het hek vastbinden en dan het hek omver trekken?'
'Nee, natuurlijk niet.' Björn zucht diep en wijst omhoog. 'Ik wil

het touw over die boomtak heen gooien. Dan kunnen we in het touw klimmen en op die boomtak komen. En dan hoeven we alleen nog maar over de tak heen te schuiven tot we aan de andere kant van het hek zijn. Daar laten we ons van de tak af glijden en dan staan we in elk geval op het terrein van het kasteel.'
De tak die Björn bedoelt, is een van de laagste takken van een grote kastanjeboom die in de kasteeltuin staat. Het uiteinde van de tak is over het hek heen gegroeid en lijkt stevig genoeg om op te klimmen.
Björn knijpt zijn ogen tot spleetjes en probeert de afstand in te schatten. Dan gooit hij met een grote zwaai van zijn arm het uiteinde van het touw omhoog. De anderen kijken gespannen toe.
'Mis.'
Alex doet snel een stap opzij. Het touw valt met een plof naast hem op de grond.
'Iets meer naar links.' Björn pakt het touw weer op en probeert het nog eens. Nu slingert het touw zich wel om de tak.
'Dames eerst.' Nu is Alex degene die het touw uitnodigend voor de neus van Maaike en Esmee houdt.
'Tjonge, alweer zo'n galante ridder', grinnikt Maaike.
Ze pakt het touw aan en klimt handig omhoog. De tak is inderdaad sterk genoeg en het duurt niet lang voor ze op het gras aan de andere kant van het hek staat. Esmee en Björn volgen en dan is Alex nog aan de beurt.
Het duurt even voordat hij ook in het touw geklommen is, maar als hij eenmaal op de tak zit, is ook hij binnen een paar tellen in de kasteeltuin.
De tuin bestaat uit grote grasvelden met een paar oude, dikke bomen. Rondom de velden zijn grote borders aangelegd vol planten en struiken. Verderop is een bos, maar vanaf hier is niet te zien of dat bos ook bij het kasteel hoort.
'En nu?' Alex kijkt Björn vragend aan.

Björn opent zijn mond, maar klapt hem dan weer dicht. Zijn ogen zijn zo groot als schoteltjes en voor de verbaasde ogen van de anderen laat hij zich plat op de grond vallen, achter een paar struiken die langs het hek groeien.
'Wat doe je?' schrikt Esmee.
'Liggen, snel!' sist Björn. 'Daar loopt iemand door de tuin en hij komt recht op ons af.'

4.

'Pff, dat was echt op het nippertje.' Björn veegt een paar grasssprieten van zijn jas en kijkt de andere Slimbo's aan. Ze liggen nog steeds op de grond, half verstopt achter de brede stam van de kastanjeboom en de lage struiken.
'Ik dacht echt dat die man regelrecht op ons afkwam', fluistert Maaike. Haar stem trilt nog na van de spanning en op haar wang zit een zwarte veeg. 'Gelukkig heeft hij het touw niet zien hangen.'
Björn richt zich op en kijkt voorzichtig over de struiken. 'Volgens mij moet het de tuinman zijn, die is natuurlijk gewoon aan het werk. Dom dat we niet van tevoren aan die mogelijkheid gedacht hebben.'
'Heb je ook gezien waar die kerel nu is?' Het gezicht van Esmee is spierwit. 'Hij kan natuurlijk best nog een keer terugkomen.'
'Ik vermoed dat hij in die schuur is', wijst Björn.
Een meter of vijftig verder staat een grote, houten schuur, zonder ramen maar wel met grote, openslaande deuren en een rood pannendak. Björn staart naar de schuur en fronst zijn wenkbrauwen. Wat zit er in die schuur? Waarschijnlijk gewoon tuingereedschap. Voor zo'n grote kasteeltuin is natuurlijk veel nodig. Maar hij wil het met zijn eigen ogen kunnen zien. Anders is hij geen goede speurder. Hij moet met zekerheid weten of de schuur echt niets geheimzinnigs bevat.
'Je hebt zeker niet heel toevallig je luisterscoop in je jaszak zitten?' fluistert hij tegen Alex.
Alex heeft ooit eens een nepoor uitgevonden dat je op een gebouw kan plakken. Door een kleine trechter die er met een lang snoer aan vast zit, kan je vervolgens alles horen wat er in

de ruimte gezegd wordt. Dat is hun al eerder goed van pas gekomen. En stel dat er meerdere mensen in de schuur zijn, dan zou dat nu helemaal zo gek nog niet zijn.
Alex voelt in al zijn jaszakken en schudt dan spijtig zijn hoofd. 'Nee, alleen maar wat kleingeld. Daar hebben we nu niks aan.'
'Dan ga ik zelf een kijkje nemen in die schuur', beslist Björn.
De ogen van Maaike worden groot van schrik. 'Ben je gek? Die man moet haast wel in die schuur zitten. Waar kan hij anders zo snel gebleven zijn?'
Björn glimlacht. 'Ik ben ook niet van plan om echt naar binnen te lopen. Ik hoop dat er een paar kieren tussen de planken zitten waar ik doorheen kan kijken.' Hij wijst naar de achterkant van de schuur. 'Als ik achter deze struiken blijf, kan ik ongezien om de schuur heen kruipen. Aan de achterkant kan ik naar de schuur toelopen zonder gezien te worden. Er zit daar waarschijnlijk ook geen raam of deur.'
'En als er nu wel een deur zit?'
Björn kijkt een beetje nijdig naar Esmee. 'Dat zie ik dan wel weer. We moeten toch íets proberen?'
Hij wacht niet op antwoord maar kruipt op handen en voeten weg. Een paar minuten later zit hij achter de bosjes aan de achterkant van de schuur. Gelukkig bestaat de achterkant inderdaad alleen maar uit houten planken, net zoals hij al had verwacht.
Björn haalt diep adem en loopt dan zo voorzichtig mogelijk op de schuur af. Gelukkig kan hij over het gras lopen, dat maakt vrijwel geen geluid.
Uit de schuur komt ook geen geluid naar buiten. Misschien is de tuinman wel helemaal niet naar binnen gegaan. Angstig kijkt Björn om zich heen. Stel je voor dat die man ergens achter een boom staat en ineens tevoorschijn springt?
Maar er is niks verdachts te zien. En bovendien zullen de andere Slimbo's ook wel goed opletten of er geen onraad dreigt.

Hij is nu bij de schuur. Wat is dat? Er klinkt een gedempt geluid uit de schuur. Het heeft nog het meeste weg van iemand die niest. Er is dus inderdaad iemand binnen!
Björn speurt de houten achterwand af. Ja, daar, iets naar links. Daar zit een rond gat in een van de planken. Er heeft vast een knoest ingezeten die eruit gevallen is. Een prima spioneergaatje. Hij kijkt nog een keer om zich heen of de kust echt veilig is en drukt dan zijn rechteroog tegen het gat. Eerst ziet hij niks. In de schuur is het veel donkerder dan buiten in het daglicht.
Maar even later ziet hij een groot gedeelte van de binnenkant van de schuur. Midden in de ruimte staat een grote, houten tafel. Er staat een man bij, met zijn rug naar Björn toe. Hij draagt dezelfde kleren als de man die hen net in de tuin voorbijgelopen is. Een wijde, groene jas, een spijkerbroek en zwarte regenlaarzen. Björn kan helaas niet zien wat de man aan het doen is. Maar wat hem wel opvalt, zijn een paar beeldschermen die op de tafel staan. En een groot paneel met allemaal knoppen erop. Het lijkt wel een soort computer met meerdere schermen. Wie bewaart er nu zulke computers in een schuur?
Hij laat zijn oog verder door de schuur dwalen. Er staat inderdaad ook behoorlijk wat tuingereedschap en zelfs een tractor met een grote maaimachine erachter. Hij glimlacht. Zo'n zitmaaier heb je hier ook wel nodig. Stel je voor dat iemand met zo'n klein handmaaiertje al het gras rond het kasteel zou moeten maaien.
De man in de schuur draait zich om en Björn tuurt aandachtig naar zijn gezicht. Hij verwacht half en half een gemene boeventronie te zien, maar eigenlijk ziet de man er heel vriendelijk uit. Hij heeft een paar rimpels in zijn voorhoofd en naast zijn ogen, waardoor het lijkt alsof hij een beetje lacht.
De man gaat dan zitten op een oude, rieten stoel. Hij haalt iets uit zijn jaszak, een mobieltje. Hij drukt een paar toetsen in en wacht dan even. Björn haalt voorzichtig zijn oog van het gat en

drukt zijn oor er tegenaan. Nu ziet hij niet meer wat er in de schuur gebeurd, maar hij hoort des te meer.
'Ja, met Evert. Nog geen spoor van de wapens, hoor. Maar we houden alles goed in de gaten. Zodra de lading hier is, grijpen we onze kans.'
Björns mond valt open en hij voelt het bloed uit zijn gezicht trekken. Wapens? Een koude rilling loopt over zijn rug. Deze man is alles, behalve een tuinman. Deze man heeft iets met wapens te maken. En wie weet wat hij allemaal aan wapens in zijn schuur heeft liggen!
Zo snel hij kan loopt Björn achteruit. Wég van de schuur. Snel terug naar de anderen, en dan door naar het hoofdkwartier. Het is veel te gevaarlijk om hier rond te blijven snuffelen.

5.

'Wapens?' Alex, Maaike en Esmee staren Björn verbluft aan.
Björn knikt. Hij voelt zijn knieën nog steeds een beetje trillen. Maaike houdt hem de zak met chips voor, maar hij schudt afwezig zijn hoofd. 'Ik geloof dat ik een beetje misselijk ben.'
'Dat is wel even iets anders dan een paar gewone huis-, tuin- en keukendieven', mompelt Esmee. 'Dit klinkt veel gevaarlijker.'
Björn knikt. Nu ze veilig in het hoofdkwartier zitten, dringt het pas echt goed tot hem door. 'Wat die man precies met wapens heeft, is me nog niet helemaal duidelijk. Maar hij liet er geen twijfel over bestaan dat hij binnenkort in het bezit is van een hele partij wapens. En dat is niet mis.'
Alex schraapt zijn keel en Björn kijkt hem aan. 'Ja?'
'Ach, nee. Laat maar.'
'Nee, zeg het maar.'
'Nou, misschien is het een beetje overdreven. We zijn natuurlijk wel een speurdersclub. Maar kunnen we dit niet beter overlaten aan de politie? Als die man wapens heeft, en hij ons per ongeluk een keer ontdekt, zijn we er geweest.'
Björn denkt diep na. Aan de ene kant wil hij de zaak zelf verder onderzoeken. Hij is razend benieuwd naar wat er allemaal aan de hand is op het kasteel. Aan de andere kant is hij wel de voorzitter van de Slimbo's. Hij moet ervoor zorgen dat de anderen niet in levensgevaar komen. En tegen een volwassen kerel met een pistool kunnen ze natuurlijk niet zomaar op.
Hij zucht diep en kijkt zijn vrienden aan. 'Ik denk dat Alex gelijk heeft. Dit is geen zaak voor ons. Dit is een zaak voor ervaren politieagenten.'

De anderen knikken instemmend.
'We kunnen natuurlijk wel aan rechercheur Willems vragen of we een klein beetje mogen helpen', oppert Maaike. 'Hij weet dat we al een paar keer eerder een zaak hebben opgelost.'
Björns gezicht klaart op. 'Goed idee, Maaike', prijst hij.
Natuurlijk kunnen ze dat aan rechercheur Willems vragen. Ze kennen hem inmiddels aardig goed, en wat nog belangrijker is, hij kent hen ook! Hij weet zo langzamerhand vast wel dat ze hun speurwerk serieus nemen en geen gevaarlijke dingen doen. Tenminste, niet expres ...
Een harde schop tegen zijn voet doet Björn opschrikken. 'Huh, wat?'
'Ik stel al drie keer voor dat we nu meteen naar het politiebureau fietsen, dat kan nog net voor we moeten eten.' Alex kijkt hem fronsend aan.
Björn kijkt op de klok. Kwart voor vijf. Hij moet om half zes eten, dus dan moeten ze nu inderdaad vertrekken. Hij springt op en pakt zijn opschrijfboekje. Misschien heeft rechercheur Willems iets aan zijn aantekeningen.
'Goed, we gaan', knikt hij. En vijf minuten later zitten ze weer op de fiets.

'Dus jullie geloven echt dat er geheimzinnige dingen gebeuren op het kasteel? En jullie geloven zelfs dat er daar allemaal wapens liggen?' Met opgetrokken wenkbrauwen kijkt rechercheur Willems de Slimbo's aan.
Zijn blik blijft het langst op Björn rusten. Ze zitten in het kantoor van Willems. Hijzelf aan de ene kant van het bureau en de Slimbo's aan de andere kant.
Björn staart een beetje zenuwachtig naar een vlieg die over de muur loopt. Zoals rechercheur Willems het zegt, klinkt het inderdaad een beetje belachelijk. Maar hij weet zeker dat hij alles goed verstaan heeft, wat er in de schuur werd gezegd.

'Eh, ja ... ik weet dat het raar klinkt. Maar u moet echt een paar agenten naar het kasteel sturen. Laat ze maar in de schuur kijken, dan zult u zien dat daar allemaal computers staan.'
Rechercheur Willems schiet in de lach. 'Volgens mij is het niet verboden om een computer in de schuur te hebben staan. Daar kan ik toch geen mensen om gaan arresteren?'
Björn zwijgt. Hij had niet verwacht dat rechercheur Willems zo zou reageren. Hij weet toch wel dat de Slimbo's hem niet voor de gek willen houden?
De rechercheur staat op. 'Ik heb zo een vergadering dus ik kan jullie helaas niet vragen om nog even te blijven zitten. Maar geloof me, bij het kasteel is niks vreemds aan de hand. Richten jullie je maar op echte speurderszaken en blijf bij het kasteel uit de buurt met jullie speurwerk.'
Björn kijkt de rechercheur scherp aan. Hij krijgt het vreemde gevoel dat rechercheur Willems meer weet dan hij wil zeggen. Zijn mond is een rechte streep en zijn ogen lijken veel donkerder dan normaal. Zou er dan toch iets aan de hand zijn waarvan de politie al op de hoogte is?
Björn kijkt even opzij naar Alex. Maar aan het verontwaardigde gezicht van zijn vriend te zien, heeft Alex niks door.
'Tot de volgende keer', groet Willems. Hij geeft de Slimbo's een voor een een hand.
Maaike, Esmee en Alex mompelen iets terug en lopen met grote stappen de gang door, op weg naar de uitgang.
Maar Björn kijkt de rechercheur recht in zijn ogen. 'Ja, tot de volgende keer. Ik ben benieuwd wanneer en waar dat is.'
Schrikt rechercheur Willems nu, of lijkt dat maar zo?
Björn loopt zijn vrienden achterna. Hij snapt er hoe langer hoe minder van.

6.

'Rechercheur Willems weet er meer van. Ik zag het aan zijn gezicht.'
'En ik zie aan jouw gezicht dat je een ijsje aan het eten bent', grinnikt Esmee.
Björn veegt over zijn wang. Ze zitten op het muurtje voor de ijssalon en hebben net allemaal een ijsje gekocht. Het is zaterdagochtend en uit pure verveling zijn de Slimbo's maar naar het winkelcentrum gefietst. Wat heb je aan een speurdersclub als je toch niet geloofd wordt door de politie als je iets belangrijks ontdekt?
'Jij denkt dus nog steeds dat er wél iets aan de hand is bij het kasteel?' Maaike kijkt Björn vragend aan.
Björn knikt. 'Ja. En de politie wil ons niet in de buurt hebben. Anders had rechercheur Willems wel heel anders gereageerd.'
'Hij heeft ons duidelijk gezegd dat we niet meer bij het kasteel in de buurt mogen speuren. Dat klopt', knikt Esmee. 'Maar hij kan ons toch niet verbieden om ons geschiedeniswerkstuk af te maken? We zullen toch nog wel een keer naar het kasteel toe moeten.'
Björn grinnikt en stopt het puntje van zijn ijshoorn in zijn mond. 'Dat is precies wat ik ook al had bedacht. Wat vinden jullie daarvan?' Hij kijkt Alex en Maaike aan.
Alex knikt met een mond vol ijs en ook Maaike is het ermee eens. 'We moeten nog heel wat informatie hebben voor ons werkstuk. En als we toevällig iets ontdekken dat met een raadsel te maken heeft ...'
Ze hoeft haar zin niet af te maken, de anderen grinniken begrijpend.

Björn springt op. 'Goed, dan stel ik voor dat we nu meteen maar gaan. Het kasteel gaat over een half uur open en dan zijn we mooi op tijd.'
'Ik, ehm ... gaan jullie maar vast. Ik moet nog iets doen. Ik haal jullie straks wel in.'
Maaike, Esmee en Björn kijken verbaasd naar Alex. 'Wat dan?'
'Oh, gewoon iets', mompelt Alex.
Björn haalt zijn schouders op. 'Prima. Maar we gaan niet eindeloos op je wachten bij de ingang, hoor. Je zoekt ons maar op.'
Alex knikt en steekt de straat over. Even later is hij verdwenen.
De anderen stappen ook op hun fiets en het duurt niet lang voor ze de stad uit zijn, op weg naar kasteel Von Brockel.
'Tjonge, het lijkt wel of het iedere keer als we hier fietsen, harder waait', moppert Esmee. Ze hangt over haar stuur gebogen en heeft moeite om tegen de wind in te trappen.
'Dat moet je tegen Alex zeggen', raadt Björn haar aan. 'Die heeft pas iets uitgevonden waardoor je altijd wind mee hebt, of zo iets.'
Hij heeft het nog maar net gezegd of achter hen klikt het driftige gerinkel van een fietsbel.
'Aan de kant, aan de kant!'
Björn kijkt om en gooit zijn stuur naar rechts. In vliegende vaart komt Alex voorbij gestoven. Zijn handen om zijn fietsstuur geklemd en zijn benen wijd opzij. Op zijn gezicht ligt een angstige uitdrukking. 'Ik kan niet stoppen!' schreeuwt hij in paniek.
Björn kijkt naar Alex' fiets. Onder de snelbinders zit een ijzeren buis. Het heeft wel wat weg van de uitlaat van een auto. Er komt rook uit en als Björn het goed ziet, zitten er twee knoppen op de bovenkant.
Hij wijst naar de buis. 'Dat zal de WMM wel zijn, de Wind-Mee-Machine.'
Maaike en Esmee staan naast hun fietsen en kijken met open mond toe. Alex is inmiddels al een halve kilometer verder.

‘Als dat maar goed gaat’, mompelt Esmee.
Maaike haalt haar schouders op. ‘Hij zal vast wel érgens stoppen. Ik hoop alleen voor hem dat het geen pijnlijke finish wordt. Doe mij dan toch maar gewoon wind tegen.’
Ze stapt weer op haar fiets en Björn en Esmee volgen haar voorbeeld.
Een kwartier later zijn ze weer bij het kasteel. Alex staat hen met een knalrood hoofd op te wachten. Zijn handen trillen, ziet Björn.
‘Dus je bent toch nog op tijd gestopt?’ Hij kan het niet helpen dat er een grote grijns om zijn mond speelt.
‘Ik heb mezelf de berm in gestuurd’, knikt Alex. Daardoor kregen mijn wielen meer weerstand van de ondergrond te verduren. Dat betekent een snelheidsvermindering van minimaal ...’
‘Ja, ik snap het wel. Daardoor kon je stoppen.’ Björn knikt snel en doet of hij het gegrinnik van Maaike en Esmee niet hoort.
Als Alex eenmaal begint over zijn uitvindingen, is hij vaak niet meer te stoppen.
Hij kijkt naar het kasteel aan het einde van de oprijlaan. De rode vlag bij de brug wappert fier in de wind. Plotseling kan hij zich

goed voorstellen hoe hier vroeger ridders in- en uitliepen en jonkvrouwen in prachtige jurken door de kasteeltuin wandelden.
Achter zijn vrienden aan loopt hij de oprijlaan over. Hij houdt zijn ogen en oren goed open. Alles wat ook maar een beetje verdacht is, zal hij noteren in zijn opschrijfboekje. Hij probeert een glimp van de schuur op te vangen, maar die is vanaf de oprijlaan niet te zien.
Hij zucht eens diep. Stel nu dat ze helemaal niks verdachts vinden vandaag? Moeten ze het onderzoek dan alsnog stopzetten?
Maar dan haalt hij vastberaden adem. Wat een onzin om daar nu al over na te denken. Ze kunnen de hele dag door het kasteel dwalen, zogenaamd voor hun geschiedeniswerkstuk. En als ze niks ontdekken, dan kan hij vanavond wel beslissen hoe ze verder moeten. Daar hoeft hij zich nu nog niet druk om te maken.

7.

Het is rustig in het kasteel. Er is dit keer geen bejaardenreisje en een tijdlang zien de Slimbo's niemand anders dan elkaar.
'Hoeveel kogels zouden er door dit schietgat afgevuurd zijn?' vraagt Esmee. Ze tuurt door een kleine opening in de muur van een van de torens.
'Kogels?' Alex zucht. 'Ik denk dat ze een paar honderd jaar geleden vooral pijlen op elkaar afschoten.'
Björn denkt na. Wanneer zouden pijl en boog eigenlijk ingeruild zijn voor geweren? Ze hadden in de middeleeuwen al wel kanonnen. Dus de kogels waren toen al wel uitgevonden.
'Staat dat niet in de informatiegids?'
Maaike bladert al door de dikke folder die ze aan het loket bij de ingang gekocht hebben. Er staan best interessante dingen in. En de plaatjes kunnen ze uitknippen en in hun werkstuk plakken. Maar een antwoord op hun vraag vinden ze nergens.
'Weet je wat ik me ook nog steeds afvraag?' Björn dempt onwillekeurig zijn stem, ook al is er verder niemand te bekennen.
'Hoe die vrouw met het rode haar uit de keuken kon komen!' zeggen Alex, Maaike en Esmee in koor.
'Hoe raden jullie het', grinnikt Björn. 'Zullen we nu toch nog even een kijkje in de keuken nemen? Het is nu nog rustig, maar je hebt best kans dat het straks wat drukker wordt.'
De anderen zijn het er mee eens. Snel lopen ze de torentrap af en steken ze de binnenplaats van het kasteel over. De vrouw die hun een half uurtje geleden de informatiegids verkocht heeft, staat nu de binnenplaats aan te vegen.

Ze knikt hen vriendelijk toe. 'Waren jullie hier een paar dagen geleden ook al niet?'
Björn glimlacht. 'Ja, we moeten een geschiedeniswerkstuk maken en we hebben als onderwerp dit kasteel gekozen.'
'Wat leuk!' De vrouw leunt op haar bezem. 'Als jullie vragen hebben, hoor ik het wel. Er staat veel informatie in de gids, maar natuurlijk niet alles.'
'Nou, eigenlijk heb ik wel een vraag.' Maaike doet een stap naar voren.
'Volgens onze meester hadden kastelen vroeger vaak geheime gangen. Heeft dit kasteel die ook?'
De vrouw schiet in de lach. 'Nee, helaas niet. Er is wel uitgebreid onderzoek naar gedaan, maar er is nooit een gang gevonden.'
'Jammer.'
'Ja, jullie zijn niet de enigen die er zo over denken. Een paar dagen geleden waren hier een man en een vrouw die ook erg geïnteresseerd waren in geheime gangen.'
Björn spitst zijn oren. 'Een man en een vrouw?' vraagt hij nieuwsgierig.
De kasteelmedewerkster knikt enthousiast. 'Ja, een man met een grote bril en een vrouw met rood haar.'
Björns adem stokt in zijn keel. Een man met een grote bril zegt hem niet zoveel, de tuinman droeg geen bril. Maar een vrouw met rood haar ... Zou dat dezelfde vrouw zijn die zo geheimzinnig verdween?
Hij kijkt met een snelle blik de binnenplaats over. Ze zijn nog steeds de enige bezoekers die hier in de buurt zijn.
'Kunt u me iets meer over die man en die vrouw vertellen?' vraagt Björn. Hij laat zijn stem zo laag mogelijk klinken om belangrijk over te komen.
De vrouw verschuift haar bezem van haar rechter- naar haar linkerhand en trekt haar wenkbrauwen op. 'Nou, er valt eigenlijk niet veel meer over ze te vertellen. De man zei dat hij hoopte dat

er een geheime gang was, omdat hem dat als kind altijd al zo leuk leek.'
Björn knikt begrijpend en opent zijn mond om nog meer te vragen, maar de kasteelmedewerkster kijkt plotseling naar de ingang.
'Oh, er staan een paar mensen bij de kassa. Die moet ik even binnenlaten.' Ze pakt haar bezem en loopt met grote stappen weg.
De Slimbo's kijken haar na en pas als de vrouw buiten gehoorafstand is, kijken ze elkaar aan.
'Dat moet haast wel dezelfde vrouw zijn', zegt Maaike enthousiast.
'Het is goed mogelijk. Maar het hoeft natuurlijk niet. Er zijn wel meer vrouwen met rood haar op de wereld', antwoordt Esmee.
Alex knikt instemmend.
Björn zucht. Diep in zijn hart weet hij dat Esmee en Alex gelijk hebben. Het hoeft hier helemaal niet om dezelfde vrouw te gaan. Maar toch ... het is wel verdacht.
'Kom op, jongens. Zo te zien wordt het nu snel drukker. Er staan zeker tien mensen bij de kassa en volgens mij zie ik in de verte een bus de parkeerplaats oprijden.' Maaike wenkt de anderen ongeduldig.
'Goed, op naar de keuken.' Björn loopt achter Maaike aan en hoort aan de ketsende voetstappen achter hem dat Esmee en Alex hen ook volgen.
Terwijl hij de treden telt die hem naar beneden brengen, denkt Björn nog eens aan de vreemde reactie van rechercheur Willems, de verdwijning van de roodharige vrouw, de tuinman met een schuur vol computers en het afgeluisterde telefoongesprek over wapens. Dat zijn toch wel heel veel dingen die verdacht zijn. Ergens moeten ze haast wel met elkaar te maken hebben. Hij heeft alleen nog geen idee hoe!

8.

'Gelukkig, er is hier niemand.' Björn kijkt de keuken rond. Het is een donkere keuken die verlicht wordt door een elektrische kroonluchter en een paar wandlampjes. De vloer is van donkere plavuizen en de muren van grote stenen die iets lichter van kleur zijn. De keuken is aangekleed in middeleeuwse stijl. Een grote, koperen ketel hangt aan een paar stevige kettingen boven de enorme haard. Aan het plafond hangt zogenaamd vlees te drogen.
Björn grinnikt en stoot Alex aan. 'Zin in een plastic varkenslapje?' Het is duidelijk te zien dat het vlees niet echt is.
Maaike opent een houten kist en bukt zich om erin te kijken. 'Leeg. En te klein voor een volwassen vrouw om zich te verstoppen.'
Esmee staat op haar tenen bij een plank vol pannen. Een voor een tilt ze alle deksels op om in de pannen te kijken. Björn knikt goedkeurend. Wie weet wat er in de pannen verstopt zit? Ze moeten echt alles nagaan.
Bij de op een na laatste pan is het raak. Triomfantelijk vist Esmee een klein papiertje uit de pan. 'Wat hebben we hier?'
De anderen komen om haar heen staan terwijl ze het briefje openvouwt.
Het is een klein, rechthoekig blaadje, dat zo te zien uit een notitieboekje is gescheurd. Op de lichtblauwe lijnen staat in slordige hanenpoten een korte boodschap.

Code rood: geen levering
Code blauw: wel levering

Björn fluit tussen zijn tanden en pakt zijn opschrijfboekje erbij. Terwijl hij met een schuin oog de trap naar boven in de gaten houdt, tekent hij het briefje zo nauwkeurig mogelijk na.
Alex kijkt verbaasd. 'Waarom nemen we het briefje niet gewoon mee. Dat is toch veel makkelijker?'
Björn rolt met zijn ogen. 'Dit briefje is misschien een boodschap voor iemand. Als de pan ineens leeg is, valt het veel te veel op.'
Alex knikt en haalt zijn schouders op. 'Wel een ouderwetse manier, zeg. Waarom sturen die mensen elkaar niet gewoon een sms'je of een e-mail?'
'Die kunnen onderschept worden', weet Esmee.
'Nou, en? Wij hebben dit briefje ook gevonden.'
'Ja, maar kun jij nu zien waar het briefje vandaan komt en wie het geschreven heeft en voor wie het bestemd is?' Esmee slaat haar armen over elkaar.
'Nee, natuurlijk niet.' Alex denkt even na en dan licht zijn gezicht begrijpend op. 'Oh, ik snap het al. Bij een sms of e-mail kan de politie natuurlijk wel achterhalen vanaf welke telefoon of computer het bericht verstuurd is, en naar wie.'
'Precies', bemoeit Björn zich ook met het gesprek. Hij stopt zijn boekje weer in zijn zak.
'Dit lijkt me een mooi klusje voor jou, Maaike. Jij bent de codekraker.'
Maaike knikt ernstig. 'Ik zal proberen om erachter te komen wat code rood en blauw inhouden. Maar vraag me niet hoe.'
'Daar kunnen we het later nog wel over hebben. Nu moeten we de keuken snel verder onderzoeken voordat er meer mensen aankomen.'
Een paar tellen later zijn ze weer druk bezig. Björn kruipt over de vloer van de keuken en tikt op de tegels. Iedere tegel bekijkt hij nauwkeurig, maar hij kan niets vreemds ontdekken. Jammer, hij had gehoopt op een luik in de vloer dat toegang geeft tot een geheime gang of een geheime schuilplaats.

Met een diepe zucht staat hij op. Zijn knieën doen pijn van de harde vloer en het duurt even voor hij zijn benen weer normaal kan buigen.
'Hebben we nu de hele keuken gehad?'
Alex, die de open haard inspecteert, kijkt op. 'Alleen de muren zijn nog niet onderzocht.'
'Oké.' Björn begint de muren te bestuderen. Langzaam laat hij zijn ogen over de stenen gaan. En voor zover hij erbij kan, klopt hij op iedere steen om te horen of de muur misschien hol is.
'Hé!'
Alex, Maaike en Esmee schrikken op en kijken hem aan.
'Heb je iets ontdekt?' Alex is met twee stappen bij hem.
Björn knikt en klopt op de muur. 'Deze muur klinkt heel anders dan de andere muur.'
Esmee, die het dichtst bij de andere muur staat, tikt ook een paar keer op de muur. Die klinkt veel massiever dan de muur waar Björn bij staat.
'Achter jouw muur moet nog een ruimte zitten!' roept Maaike opgewonden.
Björn fronst zijn wenkbrauwen. 'Ja, dat denk ik ook. Maar moet iedereen die in het kasteel aanwezig is daarvan op de hoogte zijn?'
Maaike krijgt een kleur. 'Sorry, ik zal zachter praten.'
Björn draait zich weer naar de muur. De muur is niet zo lang en behalve een klein schilderij van het kasteel, hangt er niets aan. En er staat ook niets voor.
'De vraag is hoe we in de ruimte achter de muur kunnen komen', mompelt Björn in zichzelf.
Alle vier turen ze ingespannen naar de muur. Ze zijn nu zo stil dat ze boven zich het gemompel van stemmen kunnen horen.
Maaike kijkt Björn ongerust aan. 'Het wordt echt druk in het kasteel. Moeten we een andere keer terugkomen?'
Björn hoort haar niet eens. Zijn ogen rusten op de schroef waar

het schilderij aan hangt. Een schroef die eigenlijk veel te dik is voor zo'n klein schilderij.
'Alex, jij houdt de wacht bij de trap', fluistert hij. 'Zodra je denkt dat er iemand aankomt, waarschuw je door te hoesten. Esmee en Maaike, jullie doen net of je gewoon door de keuken loopt en alles bekijkt. Ik denk dat ik weet hoe we de ruimte achter de muur kunnen openen. Maar we weten niet of er iemand aanwezig is in die ruimte, dus houd mij ook goed in de gaten, oké? Als het nodig is, moeten jullie me helpen.'
Alex knikt kordaat en staat al bij de trap. Maaike en Esmee kijken elkaar aan. Björn ziet hun gezichten wit worden. 'Oké?' vraagt hij nog een keer.
Esmee kijkt hem aan. 'Oké! Als het nodig is, komen we je te hulp.'

9.

Langzaam loopt Björn naar het schilderij dat aan de muur hangt. Het is gemaakt van verf en lijkt al behoorlijk oud. Maar nu hij er met zijn neus bovenop staat, ziet hij dat er in kleine lettertjes een jaartal onderaan staat. Het schilderij is nog maar pas gemaakt!
Voorzichtig tilt hij zijn hand op naar de schroef. Hij is er nu helemaal van overtuigd dat de schroef geen gewone schroef is. De schroef zit niet zomaar vast in de muur, maar komt uit een soort buisje dat dwars door de muur heen lijkt te gaan.
Björn ziet zijn hand trillen en bijt op zijn lippen. Eigenlijk is het belachelijk wat hij gaat doen. Stel dat er mensen in de ruimte achter de muur zitten die op de een of andere manier iets met wapens te maken hebben! Dan is de kans dat ze hier heelhuids weer uitkomen heel erg klein.
'Nou, draai je die schroef nog om of hoe zit dat?' Esmee staat vlak achter hem.
Björn kijkt haar kwaad aan maar pakt dan de schroef beet en probeert hem naar links te draaien. De schroef geeft niet mee. Dan dus maar naar rechts. Hij draait de andere kant op, maar ook nu is er geen beweging in de schroef te krijgen.
'Misschien moet je trekken?' stelt Esmee voor.
Björn geeft een stevige ruk aan de schroef en verliest bijna zijn evenwicht. De schroef komt wel een halve meter naar voren en blijkt een grote metalen stang te zijn. Het schilderij valt met een luide plof op de grond.
De Slimbo's houden hun adem in. Maar er gebeurt helemaal niks. Er gaat nergens een geheime ingang open en er komen ook nergens gevaarlijke mensen vandaan.

Björn kijkt nog eens goed naar de stang die uit de muur steekt. Hij is niet dik, maar wel stevig. Misschien moet hij de stang omhoog of naar beneden bewegen.
'Is de kust nog veilig, Alex?'
Alex kijkt omhoog en loopt zelfs een eindje de trap op. Als hij terugkomt, kijkt hij bedenkelijk. 'Er lopen vijf vrouwen in de eetzaal hierboven. Volgens mij volgen ze de route die in de informatiefolder aangegeven staat. Dat betekent dat ze ieder moment onze kant op kunnen komen.'
Hij heeft het nog niet gezegd of de vrouwenstemmen worden luider. En al snel worden de stemmen gevolgd door voetstappen op de trap.
Met een snelle beweging duwt Björn de stang weer in de muur. Esmee bukt zich om het schilderij op te pakken en hangt het snel weer op zijn plek. Precies op tijd.
'Goedemorgen.' Een vrouw met kort, grijs haar stapt de keuken binnen.
De Slimbo's groeten terug en knikken ook vriendelijk naar de andere vrouwen die een voor een de trap af komen.
'Eens even kijken, moeten we nog meer over de keuken weten voor ons werkstuk?' Björn bladert door de informatiegids.
Alex, Esmee en Maaike zijn ineens ook weer geïnteresseerd in de informatiegids.
Terwijl Björn doet alsof hij wat plaatjes aanwijst, houdt hij de vrouwen scherp in de gaten.
De vrouw die als eerste naar beneden kwam, staat geïnteresseerd naar de pannen te kijken. Ze pakt zelfs een van de pannen op om de onderkant van de bodem te bestuderen.
'Volgens mij zijn dit echt antieke pannen', zegt ze tegen haar vriendinnen. 'Als ik deze in mijn winkel zou hebben, zou ik er een heel bedrag voor kunnen vragen.'
Ze zet de pan weer terug en loopt verder. Ze kijkt niet naar de pan met het briefje.

Tot grote opluchting van Björn, zijn de vrouwen al snel uitgekeken in de keuken. Al kletsend verdwijnen ze weer naar boven.
'Ziezo', zegt Maaike tevreden. 'Wat zit jij trouwens in je jaszakken te rommelen, Björn?'
'Dit!' zegt Björn. Hij haalt een stuk rood-wit gestreept lint tevoorschijn. Het is van plastic en dwars door de strepen heen staat met zwarte letters: verboden te betreden.
'Hoe kom je daar nou weer aan?' Esmee zet grote ogen op. 'Dat lint gebruikt de politie als ze iets afzetten.'
'Dat lag vorige week gewoon op straat', grinnikt Björn. 'Ik dacht, laat ik het maar meenemen, het kan een Slimbo altijd van pas komen. Ik dacht er alleen nu pas aan dat het nog in mijn zak zat.'
'Wat wil je ermee doen?' Alex trekt zijn wenkbrauwen op.
'Ik hang het voor de ingang van de trap, in de eetzaal. Dan denken de mensen dat ze vandaag niet in de keuken mogen kijken en kunnen wij hier ongestoord onze gang gaan.'
Met twee treden tegelijk springt Björn de trap op en een minuut later is hij weer terug.
'Zo, en nu eens kijken of mijn vermoeden juist is.'
Hij haalt voorzichtig het schilderij van de muur en legt het op een van de planken. Daarna trekt hij de ijzeren stang weer uit de muur. En dan beweegt hij de stang naar boven en beneden. Helaas, de stang geeft nog steeds niet mee. Björn schudt geërgerd zijn hoofd. Waarom werkt dit niet? Die stang moet ergens goed voor zijn, anders had het schilderij wel gewoon aan een schroefje gehangen.
Chagrijnig draait hij zich om. 'Hebben jullie nog een goed idee?' informeert hij terwijl hij tegen de stang leunt.
Maar de anderen hoeven al geen antwoord meer te geven. Door het gewicht van Björn schuift de stang weg en de hele muur rolt geluidloos een meter opzij. De stang is een soort handvat waarmee je de muur opzij kan schuiven!

Achter de muur bevindt zich inderdaad een kleine kamer. Een kamer zonder ramen, maar er is genoeg ruimte om er met twee volwassen mensen in te staan. Er staat zelfs een stoel en een klein tafeltje met een zwart kastje erop. Alex loopt er naar toe, buigt zich voorover en bekijkt het kastje van alle kanten.
Als hij weer overeind komt, kijkt hij ernstig. 'Ik weet bijna zeker dat dit afluisterapparatuur is. Alles wat er gezegd wordt in deze ruimte wordt opgenomen op een klein bandje. Ook onze stemmen zullen er wel op staan.'
Björn voelt zich plotseling misselijk worden. 'Dan is de kans groot dat we nu afgeluisterd worden en iemand weet dat zijn geheim ontdekt is. We moeten maken dat we wegkomen.'

10.

'Begrijpt iemand het nog?' Björn hangt languit op de bank in het hoofdkwartier en kijkt zijn vrienden vermoeid aan. Niemand geeft antwoord. Dat is ook niet nodig, Björn ziet wel aan de gezichten van zijn vrienden dat ze ook niks van de zaak snappen. Het wordt alleen maar raadselachtiger.
Hij pakt zijn opschrijfboekje en begint te schrijven.

Opvallende en verdachte dingen:
De roodharige vrouw die ons afgelopen zaterdag achtervolgde en plotseling verdween (waarschijnlijk verstopte ze zich in de verborgen ruimte).
De tuinman heeft een schuur vol computers en belt met iemand over wapens.
In de keuken van het kasteel ligt een geheime boodschap (die ik op de vorige bladzijde heb nageschreven).
Achter die keuken is ook een verborgen ruimte met afluister-apparatuur.

Hij aarzelt even en schrijft dan nog op:
We hebben rechercheur Willems ingelicht, maar die zegt dat we ons er niet mee mogen bemoeien.

Actiepunten:
We moeten te weten komen wat code rood en code blauw betekenen, wie de geheime boodschap heeft achtergelaten en voor wie de boodschap bestemd is.
We moeten de schuur in de kasteeltuin onderzoeken.

Björn schraapt zijn keel en leest zijn aantekeningen voor. 'Iemand nog aanvullingen?'
Hij kijkt de anderen aan, maar die schudden allemaal hun hoofd.
'Ik vind het een goed idee om die schuur te onderzoeken', zegt Esmee. 'Gaan we dat vandaag nog doen?'
Björn kijkt op zijn horloge. Het is nog niet eens middag, ze hebben nog een zee van tijd.
'Dat lijkt me een goed plan.'
Esmee knikt. 'Ik denk dat het misschien wel verstandig is om vermomd te gaan. Als we twee keer op één dag naar het kasteel gaan, zijn er misschien mensen die dat verdacht vinden. En als we ons bijvoorbeeld als tuinman vermommen hebben we veel meer kans om in de schuur rond te kunnen snuffelen. We vallen in ieder geval minder op in vermomming.'
Björn knikt. 'Goed idee, heb je een tuinmanpak?'
Esmee grinnikt en springt op. In de hoek van het hoofdkwartier staat een grote kast vol met vermommingen. Allemaal het werk van Esmee, de spion van de Slimbo's. Er zitten niet alleen kleding en pruiken in de kast, maar ook veel schmink, valse tanden, tassen en alles wat je nog meer kan verzinnen om je te vermommen.
Esmee begint tussen de stapels truien te rommelen en al snel ligt er een hele stapel spullen op de grond. De anderen kijken gespannen toe. Het is altijd maar weer de vraag hoe bijzonder de vermommingen van Esmee zijn. Björn kan zich nog goed herinneren dat hij een keer op gestippelde schoenen met enorme zolen naar het winkelcentrum moest.
'Ik denk dat we ons moeten opsplitsen', zegt Esmee terwijl ze de kast weer dicht doet. 'Twee van ons kunnen vermomd als tuinman, en de anderen kunnen zich als twee oude, nieuwsgierige dametjes voordoen.'
'Ik ben wel tuinman', roepen Alex en Björn tegelijk.

Esmee kijkt ze verontwaardigd aan. 'Ja, dat snap ik ook wel. Jullie denken toch niet dat ik jullie als vrouw verkleed het kasteel binnen laat gaan?'
'Nou ...', begint Alex, maar hij zwijgt als Björn hem snel op zijn tenen trapt en achter de rug van Esmee zijn hoofd schudt.
Als het over de vermommingen gaat, is Esmee snel aangebrand.
Björn en Alex krijgen een bruine trui en broek van Esmee. Daaroverheen komt een groene bodywarmer. Alex krijgt nog een blauw petje op en scheve, bruine tanden in. En Björn krijgt een pruik waardoor het lijkt alsof hij bijna kaal is. Alex grijnst zijn scheve tanden bloot als hij het ongelukkige gezicht van Björn ziet.
Voor Maaike en zichzelf heeft Esmee twee grijze pruiken, een grote gele bril, een bloemetjesjurk en een saaie donkerrode rok uitgekozen. Maaike krijgt een grote bruine handtas in haar handen geduwd en zelf neemt Esmee een wandelstok.
'Misschien kun je nog wat tuingereedschap van je vader meenemen?' stelt ze voor terwijl ze het gezicht van Björn wat lichter schminkt.
Een kwartier later fietsen twee tuinmannen de tuin van Björn uit, gevolgd door twee oude dames die verbazend hard kunnen fietsen.

11.

Die zaterdagmiddag zijn er twee tuinmannen aan het werk in de kasteeltuin. Allebei hebben ze een schoffel in hun hand en lijken ze druk bezig met onkruid wieden. Maar wie goed oplet, ziet dat de tuinmannen meer aandacht hebben voor de dingen om hen heen dan voor het onkruid in de borders.
'Kijk, daar lopen Maaike en Esmee', mompelt tuinman Alex.
Hij knikt in de richting van de slotbrug, waar twee oude dames in een langzaam tempo overheen schuifelen. Een van hen leunt zwaar op een wandelstok en de ander zeult een grote tas met zich mee.
Björn grinnikt. 'Ik hoop dat ze meer ontdekken over die code.'
Alex lacht ook. 'Maaike is natuurlijk de codekraker. Ze heeft al eerder ingewikkelde boodschappen ontcijferd, dus daar maak ik me geen zorgen over.'
Al schoffelend bereiken ze de schuur. 'Heb jij iets verdachts gezien?' fluistert Björn.
Alex schudt zijn hoofd. 'Ik denk ook niet dat er nu andere tuinmannen aanwezig zijn. Die werken vast niet op de momenten dat het kasteel open is voor publiek.'
'Dan gaan we naar binnen.'
Vastberaden pakt Björn zijn schoffel en met zijn groene regenlaarzen aan stapt hij naar de schuur toe. Net alsof hij dit dagelijks doet. Alex loopt snel achter hem aan.
De schuur zit natuurlijk op slot, maar daar heeft Björn al rekening mee gehouden. Met een snelle blik opzij, vist hij een metalen instrumentje uit zijn zak. Na enig gerommel in het slot, klikt dit open.
'Zo, dat is knap', zegt Alex bewonderend.

Björn zegt niks. Een paar weken geleden las hij iets over sloten openbreken en sindsdien heeft hij bijna iedere dag geoefend. Maar hij vindt het een beetje kinderachtig om dat aan Alex te bekennen. Hij opent de schuurdeur en stapt naar binnen.
'Wat komen jullie hier doen?'
Björn hapt naar adem van schrik. In de schuur zit een man. Het is niet tuinman Evert die ze laatst bespioneerd hebben. Deze man heeft een veel onvriendelijker gezicht. Hij draagt een zwarte, wollen trui en een vale spijkerbroek. Hij zit aan een van de computers en is duidelijk niet blij met de komst van Björn en Alex.
Björn begint te stotteren, maar dan doet Alex een stap naar voren. 'Wij zijn de tuinmannen die door het uitzendbureau gestuurd zijn.'
'Daar weet ik niks van.' De man klinkt nu nog norser en staat op. Hij is erg lang en Björn voelt zich ineenkrimpen onder de boze blik die de man op hen werpt.
'Volgens het uitzendbureau had u extra hulp nodig om de tuin op orde te krijgen voor de kastelendag van volgende week. Vandaar dat wij er nu zijn.' Alex leunt nonchalant op zijn schoffel en Björn kijkt vol bewondering toe.
Hoe verstrooid Alex soms ook kan zijn, als het nodig is staat hij zijn mannetje.
De lange man weet kennelijk niet wat hij moet zeggen. Hij blijft hen zwijgend aankijken en haalt ten slotte zijn schouders op. 'Nou, pak wat je nodig hebt, en verdwijn weer. Jullie storen me. Was de deur trouwens niet op slot?'
Björn en Alex geven wijselijk maar geen antwoord. Björn kijkt om zich heen. In de dichtstbijzijnde hoek staat een stapel emmers. Hij loopt er heen om er een te pakken, maar Alex doet brutaal een paar stappen naar de man toe.
'U bent vast het nieuwe tuinontwerp aan het opstellen, mag ik even kijken?' Hij buigt zich naar het computerscherm toe.

'Nee. Hoepel op!' De man springt op en gaat tussen Alex en de computer in staan. 'Als jullie niet snel maken dat je wegkomt, bel ik het uitzendbureau op om te klagen.'
Björn duwt Alex een emmer in zijn handen en loopt naar buiten. Aan de voetstappen achter hem te horen, volgt Alex hem.
'Laten we in de buurt van de schuur blijven', sist Björn. Zolang ze maar buiten blijven, kan de man niet veel tegen hen beginnen. Hoewel de meeste bezoekers alleen het kasteel in gaan, mogen ze ook door de tuin lopen als ze dat willen. Als de man hen iets aan had willen doen, had hij dat veel beter in de schuur kunnen doen. Daar is het risico betrapt te worden veel kleiner dan hier buiten.
'Weet je wat er op het scherm stond?'
Björn kijkt Alex aan. Iets in de stem van Alex waarschuwt hem.
'Vast niet iets wat met tuinieren te maken heeft.'
'Nee, er stond een hele lijst met afbeeldingen van wapens op. Geweren, pistolen en zelfs een paar granaten. Ik had het idee dat die man een bestelling aan het doen was, of zo iets.'
'Wapens bestellen? Voor een kasteel?'
'Nou, ik weet niet of het voor het kasteel was. Misschien gebruikt hij alleen maar deze schuur omdat het te gevaarlijk is om zoiets thuis te doen.'
'Dat zou kunnen. Zou hij een wapenhandelaar kunnen zijn?'
Alex kijkt hem met grote ogen aan. 'Dat zou natuurlijk heel goed kunnen. Hier moet genoeg ruimte zijn om een heleboel wapens te verstoppen. En via de computer kun je de wapens natuurlijk goed verhandelen, zonder dat het spoor naar je eigen huis loopt. En op de dagen dat het kasteel gesloten is, komt hier helemaal niemand. Dan is het ook niet moeilijk om de wapens door te verkopen.'
'We moeten een lijst zien te krijgen met iedereen die hier op het kasteel werkt', zegt Björn enthousiast. 'Die computers staan midden in de schuur. Iedereen die wel eens in de schuur komt,

moet dat opgevallen zijn. Die man kan onmogelijk in zijn eentje een hele wapenhandel runnen.'
Hij mept Alex enthousiast op zijn schouder, maar Alex kijkt met grote ogen naar iets achter Björn.
Nog voordat hij kan omkijken, valt er een grote schaduw over Björn heen.
'Ik heb net even met mijn collega's gebeld. Het schijnt dat er helemaal niemand door het uitzendbureau gestuurd is. Volgens mij kunnen jullie maar beter even mee komen om dat uit te leggen.'
Björn kijkt zwijgend om en staart de lange man in zijn onvriendelijke gezicht. De man kijkt dreigend terug en Björn voelt zijn hart in zijn keel kloppen en kan geen geluid meer uitbrengen. Hij doet het enige wat hij kan bedenken, hij loopt mee terug naar de schuur.

12.

'Tuinman, tuinman, wacht even!'
Twee oude dames strompelen zo snel ze kunnen naar Björn, Alex en de lange man toe. Al voordat hij hen heeft gezien, hoort Björn aan hun stemmen dat het Maaike en Esmee zijn. En aan het hoopvolle gezicht van Alex te zien, heeft die het ook door.
'Kunt u wat vragen beantwoorden over de tuin?' Met een stralende lach glimlacht de bejaarde Maaike naar de lange man.
'Eigenlijk heb ik geen ...', begint de man maar Björn valt hem snel in de rede. 'Natuurlijk. Wat wilt u weten?'
'Wat ruikt er hier zo heerlijk?' Esmee ademt diep in. 'Het doet

me denken aan vroeger, toen ik een betrekking had als dienstmeisje bij een adellijke familie. Daar rook de tuin precies zo.'
Ondanks de aanwezigheid van de lange man, moet Björn zijn lachen verbijten. Een betrekking bij een adellijke familie. Hoe verzint ze dat nu weer zo snel?
'Ik denk dat u de lavendel ruikt', zegt hij. 'Die staat nog wel niet in bloei maar ook de groene blaadjes geven het typerende lavendelgeurtje af. En lavendel is bij uitstek een plant die veel in kasteeltuinen gebruikt werd.'
'Lavendel, natuurlijk!' kirt Maaike. 'Dat heeft toch ook een geneeskrachtige werking?'
'Jazeker, dame', knikt Björn ernstig. 'Lavendel wordt voor allerlei dingen gebruikt. Er wordt beweerd dat de geur erg rustgevend werkt voor mensen die moeilijk in slaap kunnen vallen. En ook voor andere dingen wordt lavendel veel gebruikt.' Hij heeft geen idee voor welke andere dingen, maar dat doet er nu niet toe.
Hij kijkt vanuit zijn ooghoeken naar Alex die voorzichtig een stap achteruit heeft gedaan en nu wat tevoorschijn haalt uit de zak van zijn bodywarmer.
Maaike en Esmee stellen ondertussen de ene naar de andere vraag.
'Is het ontwerp van deze tuin precies zoals het vroeger was?' informeert Esmee. Ze kijkt de lange man nadrukkelijk aan alsof ze alleen van hem antwoord wil.
Björn vindt het best. Hij heeft meer oog voor de capriolen van Alex. Als hij het goed ziet, heeft Alex een slim plan.
Terwijl de lange man met veel tegenzin iets verteld over de kasteeltuin van vroeger en die van nu, houdt Alex zijn WMM omhoog. Daarna wijst hij naar Maaike en Esmee. Die doen hun uiterste best om de lange man aan de praat te houden.
Alex maakt de WMM vast aan zijn riem en doet een stap opzij zodat hij vlak bij Björn staat.

De lange man wordt uitstekend afgeleid door de twee oude dames.
'Ik zet de WMM zo aan en dan duw ik jou voor me uit. Als het goed is, hebben we dan zoveel wind mee dat de man ons niet meer in kan halen. Zorg dat we zo snel mogelijk het kasteelterrein afkomen. Maaike en Esmee redden zich wel.'
Alex fluistert zo zacht mogelijk en Björn moet moeite doen om hem te verstaan. Hij knikt voorzichtig dat hij het begrepen heeft.
'Goed, daar gaan we.' Alex brengt zijn linkerhand naar de WMM en dan gaat alles ineens heel snel. Met een ploffend geluid slaat de WMM aan en voordat Björn er erg in heeft wordt hij vooruit geduwd door Alex. In een vliegende vaart rennen ze over het gras. Björn struikelt bijna over zijn eigen benen door de snelheid van de WMM. Het lijkt haast wel alsof ze vliegen, zijn voeten raken amper de grond!
'Hé, blijf staan!' schreeuwt de lange man boven het geluid van de WMM uit, maar Björn en Alex peinzen er natuurlijk niet over om te gehoorzamen.
Binnen drie minuten zijn ze bij het grote toegangshek aan het begin van de oprit. Björn maakt een scherpe bocht naar rechts, de straat op. Hij kan nog maar net een fietser ontwijken die veel langzamer fietst dan het tempo dat Alex en hij hebben. Gelukkig laat Alex hem los. Terwijl Björn vaart mindert, vliegt Alex hem voorbij, maar al snel weet hij de WMM uit te zetten en komt ook hij tot stilstand.
'Snel, duik in de greppel.'
Björn trekt Alex naar beneden. Gelukkig staat de greppel nog droog. Zo snel ze kunnen trekken ze hun vermomming uit. Gelukkig dragen ze hun normale kleding er nog onder.
'Laat hier alles maar liggen.' Björn legt zijn vermomming op een hoop en begint wat lang gras te plukken om er overheen te leggen.

'Tjonge, dat was echt op het nippertje', zucht Alex als hij weer een beetje op adem is gekomen.
'Ja, zeg dat wel.' Björn tuurt over de rand van de greppel. 'Volgens mij komen Maaike en Esmee eraan.'
Kennelijk hebben Maaike en Esmee ook genoeg gezien op het kasteel. Langzaam en druk in gesprek fietsen ze regelrecht op de jongens af.
'Pssst!' sist Björn als ze nog maar een paar meter verwijderd zijn. Maaike kijkt om zich heen.
'In de greppel.'
Maaike en Esmee turen tussen de lange grashalmen door en kijken dan achterom. De weg is verlaten. Snel zetten ze hun fietsen tegen een boom en laten ze zich ook in de greppel zakken.
'Hebben jullie nog iets bijzonders ontdekt?' wil Björn weten.
Maaike en Esmee schudden hun hoofd. 'Helemaal niks. Het was veel te druk om goed rond te kunnen speuren. Maar volgens mij hebben jullie wel het een en ander beleefd.'
Alex knikt en wil het hele verhaal vertellen, maar Björn steekt zijn hand op. 'Dat komt later wel. Over een half uur gaat het kasteel dicht en ik heb een plan. We gaan er nog een keer heen, zonder vermomming. We zoeken de vrouw op met wie we vanmorgen stonden te praten en vragen haar of we mogen helpen tijdens de kastelendag volgende week. We zeggen dat het ons erg leuk lijkt en dat het ook goed is voor ons werkstuk. Dat is het ook, denk ik. Als we medewerkers zijn, kunnen we volgende week ongestoord rondsnuffelen en hopelijk ontdekken we dan wat al die geheimzinnigheid heeft te betekenen.'

13.

Het is woensdagmiddag en Björn stapt het hoofdkwartier binnen. Eigenlijk ligt er een verdieping lager, op zijn bureau, een stapeltje huiswerk te wachten, maar daar kan hij zijn aandacht toch niet bijhouden.
Over een half uurtje heeft hij met de andere Slimbo's afgesproken en misschien is het slim om voor die tijd nog een beetje op te ruimen. Hij slaat de vuilniszak die hij heeft meegenomen open en besluit met de vloer te beginnen. Die ligt vol papieren en lege zakken chips.
Björn stopt alles in de vuilniszak en gaat dan verder met het bureau. Ergens tussen een paar computerfolders van Alex ligt de informatiegids van het kasteel. Björn legt hem zorgvuldig opzij. Die kan nog wel goed van pas komen. De rest verdwijnt ook in de vuilniszak.
Hij kijkt om zich heen. Het valt hem nu pas op dat het hier echt wel heel smerig is. Op de vloer liggen allemaal kleine stukjes chips en overal dwarrelt stof. Hij springt in de lift en haalt de stofzuiger op.
Precies op tijd is hij klaar. Terwijl hij het snoer van de stofzuiger oprolt, komt Esmee naar boven. Haar mond valt open van verbazing. 'Alle mensen, wat is het hier ineens netjes.'
Ze pakt de informatiefolder van het bureau en ploft neer op de bank. Al snel komen ook Maaike en Alex binnen en zijn de Slimbo's weer compleet.
'Goed, hierbij open ik de vergadering.' Björn gaat op de bureaustoel zitten. 'Maaike, heb je de code al gekraakt die op dat briefje in de pan stond?'

Maaike zucht diep en schudt haar hoofd. 'Het probleem is dat de code eigenlijk op van alles kan slaan. Het lijkt erop dat er iets geleverd gaat worden. Maar wat? En wanneer? Toen Esmee en ik vermomd door het kasteel liepen, hebben we overal gekeken naar iets dat rood is en dat je blauw kan maken. Maar we hebben niets kunnen vinden.'
Björn trekt een rimpel in zijn voorhoofd. 'Iets roods dat je blauw kunt maken ... ik had vroeger van die toverstiften. Als je er iets mee tekende, was het rood. Totdat je er met een speciale stift overheen ging, dan werd de tekening ineens blauw.'
Maaike schudt haar hoofd. 'Ik denk niet dat het zoiets is. Het moet iets zijn dat veel duidelijker is. Het moet een soort teken zijn voor degene die iets wil komen leveren.'
Björn is het met haar eens, maar een beter idee heeft hij niet.
'Goed, dan moeten we zaterdag nog maar extra goed opletten. Laten we nog even doornemen wat we zaterdag allemaal moeten doen.'
Hij pakt zijn opschrijfboekje er weer bij. Gelukkig was de vrouw van het kasteel meteen enthousiast geweest toen ze hun hulp kwamen aanbieden. Ze kwam nog aardig wat mensen te kort en wist meteen een taak voor hen allemaal te bedenken.
'Een van ons moet bij de ingang van het kasteel staan om flyers uit te delen.'
'Flyers?' Alex trekt zijn wenkbrauwen op.
'Ja, van die dunne foldertjes. Ik geloof dat ze daar het programma van de dag op afgedrukt hebben', legt Björn uit. 'Wie wil dat doen?'
'Geen probleem.' Esmee steekt haar hand op.
'Goed, dan moet er ook iemand achter de kraam met lekkere hapjes staan. Alex, is dat wat voor jou?'
Alex grijnst. 'Natuurlijk is dat wat voor mij. Ik zal alles goed voorproeven.'
De anderen schieten in de lach.

'Misschien kunnen we halverwege de dag wel wisselen van taak', stelt Esmee voor.
Alex kijkt zuinig, maar Björn knikt. 'Dat lijkt me een goed idee.'
'Wat mag ik doen?' Maaike buigt zich naar Björn toe om in zijn opschrijfboekje te kunnen kijken.
'Wij mogen in de kasteeltuin rondlopen om te helpen bij het detectivespel voor de kinderen', leest Björn voor. 'We moeten een half uur van tevoren aanwezig zijn, dan wordt het hele spel aan ons en de andere medewerkers uitgelegd. En we moeten allemaal zorgen dat we in middeleeuwse kleding rondlopen.'
'Oei.' Esmee kijkt bedenkelijk. 'Ik weet niet of ik wel goede middeleeuwse vermommingen heb. Wat droegen ze toen eigenlijk?'
'Nou, volgens mij droegen de vrouwen van die wijde jurken', aarzelt Maaike. 'Dat zie je wel eens op televisie.'
'En de mannen?'
Maaike haalt haar schouders op.
'Wacht, ik kan vast wel een plaatje van een middeleeuwse man op internet vinden.' Björn draait zijn bureaustoel en heeft met een paar muisklikken een hele serie plaatjes op het scherm staan.
Alex kijkt somber mee. 'Wat een suffe pofbroeken. Het lijkt wel een zwarte pietenpak. Daar ga ik echt niet in lopen, hoor.'
'Natuurlijk wel', grinnikt Björn. 'We zullen echt niet de enigen zijn die er zo uitzien. Juist in die kleding vallen we waarschijnlijk minder op dan wanneer we onze eigen kleding aanhouden.'
Esmee knikt. 'Ik heb nog wel een paar pietenpakken in de kast liggen, dus dat komt helemaal in orde.'
Ze pakt cola en chips en Maaike reikt haar een paar glazen aan.
'Ik ben heel benieuwd of we zaterdag eindelijk meer te weten komen', mompelt ze.

14.

Met een diepe zucht draait Björn zich om in zijn bed. Het is nog maar half zes in de ochtend en hij kan zeker nog twee uur blijven liggen, maar hij is klaarwakker. Dat komt vast doordat het vandaag zaterdag is. Vandaag hebben ze de hele dag kans om op het kasteel rond te speuren en hopelijk vinden ze dan eindelijk een oplossing voor al die raadsels.
Hij staart naar zijn gordijn. Het wappert een beetje heen en weer en er schijnt al een klein beetje daglicht doorheen. Buiten beginnen de eerste vogels ook al te fluiten. Wat fluiten die beesten eigenlijk hard. Hij stapt uit bed om het raam dicht te doen. Misschien helpt dat en valt hij toch nog weer in slaap.
Maar nee hoor, om zes uur is hij nog steeds klaarwakker. Zijn kamer is nu al een stuk lichter dan een half uur geleden.
Björn rekt zich uit en gaat rechtop in zijn bed zitten. Hij kan net zo goed alvast uit bed gaan. Misschien kan hij nog wat aan het geschiedeniswerkstuk schrijven. Dat moet maandag al af zijn en ze hebben nog bijna niks op papier staan.
Hij stommelt de badkamer binnen en zet de douche aan. Terwijl hij zich inzeept, begint hij een liedje te zingen dat vaak op de radio is. Totdat hij een paar harde bonken op de badkamerdeur hoort.
'Weet je wel hoe laat het is?' hoort hij de slaperige maar boze stem van moeder roepen.
Björn grinnikt. 'Kwart over zes, sorry!'
Ervoor zorgend dat hij wat minder lawaai maakt, kleedt hij zich aan en loopt hij voorzichtig naar beneden. De derde tree van onderen slaat hij over, die kraakt.
Terwijl hij zijn ontbijt klaarmaakt, bedenkt hij zich dat hij net

zo goed in het hoofdkwartier kan ontbijten. Zijn ouders merken er toch niks van, die zijn op zaterdag nooit zo vroeg. Zijn moeder is vast allang weer in slaap gevallen.
Vijf minuten later ligt hij languit op de bank in het hoofdkwartier. Hij kauwt tevreden op zijn boterham. Hij heeft op één boterham hagelslag, pindakaas en chocoladepasta gesmeerd. Heerlijk! Hij bladert een beetje door de informatiegids van het kasteel. Er staat veel meer informatie in dan op de website te vinden is. Kijk, daar staat een heel hoofdstuk over de tuin van het kasteel.
Björn leest geïnteresseerd verder. Hij moet natuurlijk een groot gedeelte van de dag in die tuin rondlopen, dan is het best handig als je er wat vanaf weet. Misschien zijn er wel bezoekers die hem vragen willen stellen over de tuin.
De tuin bestaat voor het grootste deel uit mooie grasvelden met struiken en bloemen. Maar jonkvrouw Annechien, die een paar honderd jaar geleden op het kasteel woonde, wilde ook een klein bos aanleggen. Een bos met wandelpaden erdoor. Björn trekt zijn wenkbrauwen op. Hij heeft het bos natuurlijk al wel een paar keer gezien, maar nu pas ontdekt hij dat dit ook nog bij het kasteel hoort. Wie weet wat daar allemaal nog te onderzoeken valt!
Hij bekijkt de foto's die in de folder staan. Zo te zien staat er midden in het bos een fontein waar alle wandelpaden op uitkomen. Er staan vooral berkenbomen en eikenbomen en er zijn veel verschillende vogels te zien. Er is ook een foto van alle tuinmannen die op het kasteel werken. Björn bekijkt de gezichten van de mannen aandachtig. Een van de mannen komt hem bekend voor. Het is de man die hen bijna gevangen had genomen in de schuur. Op de foto kijkt hij al net zo chagrijnig als toen ze hem in het echt zagen. Hij werkt dus wel echt als tuinman op het kasteel. Maar de andere man, tuinman Evert die ze eerder hoorden telefoneren in de schuur, die staat er niet op.

Voor de zekerheid bekijkt Björn alle foto's in de folder waar mensen op staan, maar de man staat ook niet op een van de andere foto's.
Peinzend drinkt Björn zijn glas melk leeg. Het is natuurlijk heel goed mogelijk dat de man niet op de foto staat omdat hij er nog niet zo lang werkt. Die foto's kunnen al wel een paar jaar oud zijn, hoewel de andere man er nog net zo uitziet als op de foto in de folder. Maar toch is het wel iets, wat ze kunnen onderzoeken.
Diep in gedachten schenkt hij zijn glas nog een keer vol, maar nu met cola.
Volgens de klok die boven het bureau hangt, is het inmiddels zeven uur. Björn springt op en rekt zich uit. Dat geschiedeniswerkstuk moet toch nog maar weer wachten, hij kan wel vast naar Maaike fietsen. Die is vast ook al wel uit bed en misschien heeft zij nog wat nieuws te melden. Jammer dat ze nog steeds de code niet ontcijferd heeft.
Hij zoekt zijn spullen bij elkaar. Opschrijfboek, potlood, middeleeuwse vermomming, polsograaf ... heeft hij alles?
Hij stapt in de lift en gaat naar beneden. Aan het luide gesnurk te horen, dat onder de slaapkamerdeur van zijn ouders doorkomt, zijn die nog steeds in diepe slaap. Björn grinnikt. Hij zal wel een briefje klaarleggen dat hij al vertrokken is. Zijn ouders weten dat hij de hele dag op het kasteel is, dus daar hoeft hij geen toestemming meer voor te vragen.
Terwijl hij over de rustige fietspaden richting Maaikes huis fietst, fluit hij een liedje. Hij heeft er zin in en neemt zich voor om de hele zaak vandaag tot op de bodem uit te zoeken.

15.

'Dus jullie snappen allemaal wat jullie taak is?'
Björn en Maaike knikken. Samen met nog acht andere mensen zitten ze in een klein zaaltje van het kasteel. Zojuist heeft de vrouw die ze al eerder gesproken hebben, en die zich nu voorgesteld heeft als Jorien, de bedoeling van het detectivespel uitgelegd. Björn en Maaike moeten samen door het bos wandelen en spelen dat ze op bezoek zijn bij jonkvrouw Annechien.
De kinderen die meedoen aan het detectivespel zullen aan hen vragen of ze iets bijzonders hebben gezien. En dan moeten ze zeggen dat ze jonkvrouw Annechien ruzie hebben zien maken bij de fontein, maar dat ze niet weten wie de vrouw is met wie ze ruzie had. Door ook aan de andere deelnemers vragen te stellen, zullen de kinderen erachter komen dat jonkvrouw Annechien ruzie heeft gemaakt met haar stiefmoeder omdat ze haar kroon met juwelen kwijt is. En die kroon is zogenaamd gestolen door ridder Tim, die ook op bezoek is in het kasteel.
Björn kijkt de kring nog eens rond. De vrouw die zich heeft verkleed als jonkvrouw Annechien heeft een grote, blonde pruik vol krullen op. Haar gezicht zit vol met make-up en ze kijkt niet al te vrolijk. Als ze ziet dat Björn haar bekijkt, fronst ze haar wenkbrauwen.
De boze stiefmoeder zit naast haar en maakt een gezellig praatje met ridder Tim. Allebei lachen ze om iets wat Björn niet kon verstaan.
Björn buigt zich opzij naar Maaike.
'Annechien en haar stiefmoeder hadden beter kunnen ruilen van rol', fluistert hij.

Maaike kijkt hem verschrikt aan. Het lijkt of ze wat wil teruggezeggen, maar ze schudt alleen langzaam haar hoofd.
'Goed, ik denk dat het verstandig is om jullie posten in te gaan nemen', zegt Jorien. Ze staat op en de anderen volgen haar voorbeeld. 'Over een kwartier gaat het toegangshek open en zullen de eerste bezoekers het terrein op komen.'
Samen lopen Björn en Maaike richting het bos. Björn plukt wat aan zijn pietenpak. Hij voelt zich toch een beetje voor aap lopen, ook al hebben de andere deelnemers aan het spel ook zo'n soort pak aan. 'Wat wilde je net eigenlijk zeggen?'
Maaike kijkt om zich heen. 'Herkende je jonkvrouw Annechien niet?'
'Annechien?' Björn kijkt haar verbaasd aan. 'Nee, moet ik haar eerder gezien hebben?'
'Nou en of. Ik weet bijna zeker dat het de vrouw met het rode haar is, die we de eerste keer dat we hier waren tegen het lijf liepen.'
Björn blijft van verbazing midden op het pad stil staan. Met open mond staart hij Maaike aan. 'Echt?'
'Ja, ze zat wel onder de make-up, maar toch kon je haar sproeten er nog doorheen zien. En boven haar rechteroor stak een klein plukje van haar eigen haar onder de pruik uit. En dat plukje was rood.'
Achter hen klinken plotseling voetstappen op het pad. Als afgesproken beginnen Björn en Maaike ook weer verder te lopen.
'We boffen inderdaad met het weer', zegt Maaike expres iets te hard.
Even later worden ze ingehaald door ridder Tim. Hij knikt hen vriendelijk toe. 'Succes.'
'Ja, jij ook', glimlacht Maaike. 'Waar ga je de kroon verstoppen?'
'Ik denk dat ik hem in een boom hang', grinnikt de ridder. 'Ik ben benieuwd of er veel kinderen zijn die eronderdoor lopen zonder iets door te hebben.'

Björn zegt niks. Hij kijkt scherp naar het gezicht van ridder Tim. Is dat misschien ook iemand die ze al eerder hebben gezien? Hij kan er niks bekends aan ontdekken.
Maaike geeft hem een por. 'Kijk eens normaal', sist ze.
Björn wendt zijn ogen met tegenzin af. Gelukkig slaat ridder Tim al snel een smal zijpad in.
'Moeten we hem ook kennen?' vraagt Björn voor de zekerheid.
'Nee hoor', grinnikt Maaike. 'Alleen Annechien kwam me bekend voor.'
Ze lopen nu het bos in. Het is er een stuk donkerder dan op het pad waar ze net liepen. Logisch natuurlijk, de bomen houden een groot gedeelte van het zonlicht tegen.
Björn begint te lachen. 'Echt wel tof dat wij juist hier rond mogen lopen. Het bos hebben we nog helemaal niet onderzocht. Dat kunnen we mooi doen terwijl we meedoen aan het detectivespel.'
Maaike is het helemaal met hem eens. 'Waar moet ik precies op letten?'
'Wist ik het maar.' Björn haalt zijn schouders op. 'Op alles wat verdacht is, denk ik. Voetstappen naast het pad, afgebroken takken, een hol onder de grond, vreemde geluiden, mensen die zich vreemd gedragen ...'
'Nou, nu je het toch over mensen hebt die zich vreemd gedragen, niet meteen kijken maar volgens mij worden we in de gaten gehouden door die tuinman links van ons.' Maaikes stem klinkt zacht maar ernstig.
Björn knielt neer en doet net of hij zijn veter strikt.
'Waar links bedoel je precies?'
'Op acht uur.'
Björn stelt zich in gedachten een klok voor en kijkt vervolgens onder zijn arm door naar de richting waar de kleine wijzer op acht uur zou moeten staan. Eerst ziet hij alleen maar bos, maar dan ontdekt hij inderdaad een tuinman. Hij staat een paar

meter van het pad af tussen de bomen en doet net of hij met een verrekijker een vogel bestudeert. Maar Björn weet wel beter. Als hij zich niet vergist, is dit dezelfde tuinman die in de schuur aan het bellen was toen ze stiekem over het hek van de kasteeltuin geklommen waren. En waarom zou hij op een dag dat het juist heel druk wordt in het bos ineens de vogels in de gaten houden?

Zijn eerste neiging is om snel het bos weer uit te lopen. Maar hij weet dat jonkvrouw Annechien ook in het bos moet zijn, bij de fontein. En de stiefmoeder moet ook ergens in de buurt rondlopen, net zoals ridder Tim. Niet dat hij die mensen helemaal vertrouwt, maar toch geeft het een veilig gevoel dat ze niet alleen met de tuinman in het bos zijn. En bovendien klinken er in de verte kinderstemmen. De eerste kinderen zullen al wel begonnen zijn met het spel.

Björn staat op en loopt naar de tuinman toe.

'Wat ga je doen?' Maaikes stem bibbert.

Maar Björn kijkt niet om. Met een grimmige stem antwoordt hij: 'Ik ga die vreemde tuinman Evert eens een paar vragen stellen. Dat wordt de hoogste tijd.'

16.

Even lijkt het erop dat de tuinman zich snel om wil draaien als hij Björn aan ziet komen. Maar dan bedenkt hij zich. Hij zal wel tot de conclusie gekomen zijn dat weglopen nog verdachter is dan blijven staan.
'Zoekt u soms naar een bonte specht?' Björn laat zijn stem zo vriendelijk mogelijk klinken.
'Eh, een bonte specht?' De tuinman kijkt naar de grond, alsof er ineens een specht uit de bodem kruipt.
'Ja, die schijnen toch heel zeldzaam te zijn? Maar hier in het bos moeten er nog aardig wat rondvliegen.'
'Oh ja, dat klopt. Ik zocht inderdaad naar de bonte specht. Maar ik denk niet dat hij hier nu in de buurt is.' De tuinman draait zich nu echt om.

Maar Björn pakt zijn schouder vast.
'Werkt u hier al lang?'
De tuinman trekt zijn wenkbrauwen op. 'Al bijna tien jaar, hoe-zo?'
'Dan weet u vast wel iets spannends over dit bos te vertellen.'
'Nee, dat weet ik niet. En volgens mij kun jij je beter met die kinderen daar bemoeien en mij met rust laten.' Nog voor Björn iets terug kan zeggen, loopt de man met grote stappen weg.
Björn kijkt naar het pad. Daar staat Maaike inderdaad met een paar kinderen om zich heen. Snel loopt Björn terug. De kinderen willen van alles weten, maar Maaike houdt zich keurig aan de instructies die ze van Jorien heeft gekregen.
'Nee, ik heb geen dief gezien. Ik heb alleen maar gezien dat jonkvrouw Annechien ruzie stond te maken met een andere dame.'
Gelukkig is dat genoeg voor de kinderen. 'Dan moeten we jonkvrouw Annechien opzoeken en vragen met wie ze ruzie had', roept het kleinste meisje uit de groep terwijl ze verder rennen.
'Ben je nog wat wijzer geworden van die tuinman?' Maaike kijkt nieuwsgierig.
Björn kijkt om zich heen. 'Nou en of', fluistert hij. 'Die kerel deugt niet. Ik zei hem dat de bonte specht heel zeldzaam was, en dat is helemaal niet zo. Maar de man trapte er gewoon in. Hij heeft dus helemaal geen verstand van de vogels hier in het bos. Je zou toch denken dat een tuinman ook wel iets van vogels af weet. Zelfs ik weet dat. En hij beweert dat hij al tien jaar tuinman is op het kasteel, maar hij stond niet op de foto's in de informatiegids.'
Maaike pakt Björns arm vast. 'Dan moeten we die zogenaamde tuinman schaduwen! Hij loopt hier vast niet voor de lol rond. Misschien weet hij wel meer van de code af. Heb je gezien waar hij heenliep?'
Björn zucht. 'Hij liep die kant op.' Hij wijst met zijn vinger het

pad af. 'Maar hij kan natuurlijk allang ergens anders zijn.'
'Kom mee', Maaike trekt Björn mee. Terwijl ze het ene pad na het andere pad afspeuren, komen ze af en toe groepjes kinderen tegen. Björn vindt het bijna jammer dat ze zich met belangrijkere zaken dan het detectivespel moeten bezighouden. De kinderen zijn zo enthousiast.
'Kijk, we zijn weer bij de ingang van het bos.' Björn blijft staan. Ze hebben alle paden gehad en staan nu aan de rand van het bos. Voor hen liggen de grote grasvelden, waar het nu ook een drukte van belang is. Overal staan marktkraampjes met spullen die te koop zijn.
'Ik ruik brand.' Maaike trekt haar neus op.
'Nee, dat is die vuurkorf', wijst Björn. 'Volgens mij mag je daar je eigen brood boven bakken. Ik krijg zo langzamerhand trouwens ook wel trek in wat eten.'
'Het zou ons gebracht worden', herinnert Maaike zich. 'Wij kunnen natuurlijk niet zomaar ...' Midden in haar zin houdt ze op met praten.
Björn kijkt haar verbaasd aan. Maaikes ogen zijn zo groot als schoteltjes en haar gezicht ziet ineens knalrood. Met een trillende hand wijst ze naar voren. 'Björn, kijk!'
Björn kijkt de richting uit die Maaike aanwijst. Wijst ze naar het kasteel? Hij ziet er weinig bijzonders aan. 'Wat zie je?'
'Die vlag!'
Björn staart naar de vlag bij de ophaalbrug. Die hangt slapjes naar beneden, doordat het amper waait. Hij kan daardoor niet goed zien of er iets bijzonders op de vlag staat maar zo te zien is het gewoon een eenvoudige, blauwe vlag.
Wacht eens even ... een bláuwe vlag?
'Wat was de code ook alweer?' Zijn stem klinkt hoger dan normaal.
'Bij rood geen levering en bij blauw wel een levering.' Maaikes stem klinkt ook heel anders dan Björn gewend is.

‘En wat voor vlag hing er eerst?’
‘Een rode. Dat weet ik zeker.’ Maaike knikt met haar hoofd om haar woorden kracht bij te zetten.
‘Dat wordt er dus bedoeld met de code. Vandaag wordt er iets geleverd!’ Björn slaat met zijn hand tegen zijn hoofd. ‘Dit is natuurlijk een prima dag om ongestoord overal rond te lopen. Er zijn zoveel mensen dat het niet op zal vallen als er iets geheimzinnigs gebeurt. Iedereen zal denken dat het gewoon bij de dag hoort.’
‘Maar wát wordt er geleverd en waar en hoe laat?’
‘Ik denk nog steeds dat er wapens geleverd gaan worden’, zegt Björn. ‘Want daarover ging het telefoontje dat ik afgeluisterd heb. En waar en wanneer, daar komen we nog wel achter. Ik heb al wel een idee.’
Hij stroopt de mouw van zijn pietenpak op en drukt snel op een paar knopjes van zijn polsograaf. ‘Ik hoop dat Alex en Esmee snel weg kunnen van hun plaatsen. We moeten hen op de hoogte brengen en verdere plannen maken.’

17.

'Tjonge, konden jullie niet eerder komen?' Björn kijkt geërgerd naar Alex en Esmee die met een mand vol brood bij het bos zijn aangekomen.
Esmee kijkt verontwaardigd. 'Nou, zeg. Je hebt ons nog geen vijf minuten geleden opgepiept en we moesten nog een smoes bedenken om van onze post af te komen zonder argwaan te wekken.'
Maaike glimlacht. 'Ik vind dat jullie een perfecte smoes bedacht hebben. Ik had echt zin in een broodje.' Ze neemt een paar plakjes stokbrood uit de mand.
Maar Björn kijkt amper naar de mand. Hij trekt zijn vrienden mee naar een bankje aan de rand van het bos en licht Esmee en Alex zo snel mogelijk in over de ontdekking van Maaike.
'Ik denk dat we moeten zorgen dat we ongezien in de geheime ruimte van de keuken komen. Daar staan die afluisterspullen. Misschien kunnen we op de een of andere manier zelf ook afluisteren wat er de afgelopen dagen allemaal gezegd is. Meestal nemen zulke apparaten de dingen die ze horen op. Als we mazzel hebben, horen we een gesprek dat ons aanwijzingen geeft over waar de levering plaatsvindt en hoe laat.'
Alex fluit tussen zijn tanden. 'Dat zal niet meevallen. Het is echt ontzettend druk in het kasteel. Er lopen vast constant mensen in de keuken.'
'Heb jij een beter plan?' Björn strijkt met zijn hand door zijn haar. Hij heeft het erg warm, maar dat zal wel door de spanning komen.
Alex schudt zijn hoofd. 'Laten we maar naar de keuken gaan. Dan zien we wel hoe we het oplossen.'

'En het detectivespel dan? We kunnen toch niet zomaar weglopen?' Maaike kijkt naar een groepje kinderen dat voorbij loopt. Het zijn dezelfde kinderen die ze net ook al zagen.
'Echt balen dat de kroon al gevonden is. We hadden de oplossing bijna', moppert de oudste jongen.
Björn grijnst. 'Zo te horen is het detectivespel net afgelopen. Dat komt mooi uit.'
'En jullie dan?' Maaike kijkt naar Esmee en Alex. 'Kunnen jullie zomaar wegblijven?'
Esmee knikt. 'De flyers waren bijna op. En de meeste mensen hebben er al een.'
'En het eten was ook bijna op', knikt Alex.
Esmee houdt hem de mand met brood voor. Er zit niet veel meer in. Björn en Maaike hebben bijna de hele mand leeggegeten. 'Wil jij ook nog wat, Alex?'
'Eh, nee ... ik heb al genoeg gehad', mompelt Alex met een kleur. Esmee trekt haar wenkbrauwen op, maar Björn schiet in de lach. 'Ik snap het al. Geen wonder dat al het eten waar jij bij stond nu al bijna op is.'
'Ik moest toch zelf proeven wat ik verkocht', verdedigt Alex zich. 'Als mensen aan mij vragen hoe iets smaakt, moet ik wel een eerlijk antwoord kunnen geven.'
Maaike schudt haar hoofd. 'Laten we maar naar de keuken gaan, straks zijn we te laat.'
'Ja, en let onderweg goed op of je die tuinman weer ziet', waarschuwt Björn. 'Als we hem weer ergens zien opduiken, moeten we ons opsplitsen. We mogen hem niet nog een keer uit het oog verliezen.'
Terwijl ze hun ogen goed de kost geven, lopen de Slimbo's dwars over het grasveld naar het kasteel terug. Ze vallen totaal niet op. Er lopen veel meer mensen in middeleeuwse kleding rond en iedereen loopt ook kriskras door elkaar. Er zijn maar weinig mensen die keurig over de paden blijven lopen.

Al snel zijn ze bij de ophaalbrug. Bij de vlaggen blijft Björn staan. Hij bekijkt zo onopvallend mogelijk de stok en de vlag zelf. Misschien hangt er ergens een boodschap aan. Maar nee, er is niets verdachts te zien.
'Is dat de tuinman?' Esmee stoot hem aan en knikt naar een man in een groene jas die met zijn rug naar hen toestaat.
'Nee, deze man is veel kleiner dan de tuinman. Kom, we gaan naar de keuken.'
Terwijl ze over de brug langs de man lopen, kijkt Björn nog even naar zijn gezicht. Hij grinnikt. Deze man lijkt meer op rechercheur Willems dan op de tuinman. Hij heeft net zulke ogen en wenkbrauwen. De tuinman is veel donkerder.
Plotseling kijkt de man op. Hij kijkt Björn regelrecht in het gezicht. Björn krijgt een kleur en draait zich snel om. De anderen zijn de brug allang over en zullen al bijna in de eetzaal zijn.
'Kijk. Ons lint hangt er nog. Wat een mazzel.' Alex wijst naar het rood-witte politielint dat Björn de vorige keer dat ze hier waren voor de keukentrap heeft gespannen.
Björns ogen moeten even aan het schemerdonker van de eetzaal wennen, maar dan ziet hij dat Alex gelijk heeft. Wat dom, zeg. Hij heeft er geen seconde meer aan gedacht om dat lint weer weg te halen. Maar nu komt dat eigenlijk wel goed van pas. De mensen die in de eetzaal zijn, lopen het lint voorbij en er is niemand die naar beneden gaat, richting de keuken.
Het duurt een poosje voordat de eetzaal even leeg is. Maar zodra er niemand anders meer in de zaal is, kruipen ze onder het lint door en lopen ze snel de stenen trap af.
Björn voelt zijn maag samenkrimpen. Het wordt nu toch wel spannend. Het is te hopen dat ze inderdaad wat ontdekken. Hij moet er niet aan denken dat de boeven de wapens zullen overdragen terwijl de Slimbo's in de buurt zijn en er te laat achter komen. Even denkt hij weer aan de man op de brug, die zoveel op rechercheur Willems leek. Het zou best handig zijn als de

rechercheur hier nu echt in de buurt was.
'Zal ik?' Maaike heeft het schilderij van zijn plek gehaald en brengt haar hand naar de schroef.
Björn knikt. Hij vertrouwt zijn eigen stem niet, zijn keel voelt zo dik aan. Hoort hij nu iets op de trap? Ach nee, dat zijn vast zijn zenuwen. Hij kijkt naar Alex en Esmee die naast hem staan. Alex bijt op zijn lip en zijn gezicht is spierwit. En aan het trillen van Esmee haar vuisten te zien, voelt Esmee zich ook niet echt op haar gemak.
Langzaam trekt Maaike de schroef uit de muur zodat de stang erachter zichtbaar wordt. En dan duwt ze hem rustig opzij zodat de ruimte achter de muur open gaat.
Björn kijkt toe. Daar staat het zwarte afluisterkastje. En daar staat het bureau. En achter het bureau ... zijn adem stokt in zijn keel en even lijkt het alsof alles zwart wordt voor zijn ogen.
Achter het bureau staat een man. Hij kijkt hen met donkere, kille ogen aan. Zijn hand heeft hij in zijn zak en Björn weet bijna zeker dat hij de vorm van een wapen ziet, door de stof van zijn jas heen.
De man schraapt zijn keel. 'Goedemiddag, gaan jullie maar eens netjes tegen de muur aan staan. En doe je handen maar in je nek', zegt hij met een ijskoude stem.

18.

'Wat ... ehm, wat doet u hier?' Met knikkende knieën staat Björn tegen de muur van de keuken. Zijn stem klinkt vreemd, maar de man verstaat hem toch. Hij kijkt Björn aan en laat een smalle glimlach zien. 'Doe maar niet of jij nergens van af weet, jochie. We houden jullie al een poosje in de gaten.'
'We hebben geen idee waar u het over heeft.' De stem van Esmee klinkt verontwaardigd. Björn knikt. Esmee heeft gelijk. Ze hebben een heleboel ontdekt, maar nog steeds weten ze niet wat er nu echt aan de hand is. De man die nu voor hen staat, hebben ze nog nooit eerder gezien. Dat weet hij zeker.
Plotseling klinken er voetstappen op de trap en een paar tellen later stapt er nog een man de keuken in.
'Kijk eens aan, daar hebben we de tuinmannen.' Met een spottende blik kijkt de man naar Björn en Alex. Die herkennen de man meteen. Het is de tuinman die hen betrapte in de schuur. De man kijkt ook scherp naar Maaike en Esmee, maar zo te zien heeft hij niet door dat hij hen ook al eens eerder heeft gezien, toen ze vermomd waren als oude dametjes.
'Hoe staan de zaken?' De tuinman kijkt de andere man vragend aan.
Die schudt geërgerd met zijn hoofd. 'Ik weet niet hoe ver ze inmiddels zijn, ik had net een goede ontvangst toen deze kinderen me kwamen storen.'
De tuinman loopt met een paar grote passen naar de afluisterapparatuur. Hij zet een grote koptelefoon op en houdt zijn hoofd een beetje scheef.
'En?'

'Bijna alle wapens zijn ongezien de auto uitgeladen. Mijn medewerkers zijn druk bezig om de wapens te verstoppen tussen het hooi op de hooiwagen. Die staat in de schuur en wordt aan het einde van de dag gebruikt voor de middeleeuwse optocht. Op die manier kan je de hele wagen meenemen en zonder argwaan van het terrein afrijden. Mits je natuurlijk genoeg geld bij je hebt.'

Björns hersens draaien op volle toeren. Al die raadsels rond het kasteel, het is net een puzzel. Maar er vallen steeds meer puzzelstukjes op hun plek. Er vindt dus inderdaad een uitlevering van wapens plaats. Iets wat absoluut verboden is, dat weet hij zeker. En de tuinman die nu voor hen staat, heeft kennelijk de wapens besteld en zal ze aan het eind van de middag meenemen. De man die ze betrapt hebben bij de afluisterapparatuur, is dan dus de man die de wapens illegaal levert. Hij zal ook het briefje met de code wel geschreven hebben. Kennelijk kan hij met al die afluisterspullen contact opnemen met zijn medewerkers die overal op het kasteel rondlopen.

Björn trekt een paar denkrimpels in zijn voorhoofd. Die andere tuinman, tuinman Evert. Die heeft er ongetwijfeld ook mee te maken. Die stond vast in het bos op de uitkijk. Om te kijken of de kust veilig was, zodat er wapens door het bos gedragen konden worden.

En datzelfde geldt natuurlijk voor de vrouw met het rode haar, die verkleed is als jonkvrouw Annechien. Die is ook niet te vertrouwen.

De twee mannen praten zachtjes verder. 'Ik heb het geld nu niet bij me. Het ligt in de schuur', verstaat Björn.

'Dan loop ik even met je mee. Ik wil het geld eerst zien, voor ik je de wapens overhandig.'

'Maar deze bemoeials dan?' De tuinman knikt met zijn hoofd in de richting van de Slimbo's.

'Die blijven gewoon even hier. Ze weten dat ik alles kan afluiste-

ren, dus zodra ze ontsnappen, hoor ik dat. En dan is het maar een kleine moeite om een van mijn medewerkers te vragen om ze mee te nemen naar een veel vervelendere plek, waar we ze achter slot en grendel kunnen zetten.'
Björn hoort Esmee naar adem happen en kijkt opzij. Zonder dat de mannen het zien, geeft hij haar een bemoedigende knipoog. Hij heeft een plan, maar dan moeten de twee mannen wel eerst verdwenen zijn. Gelukkig staan ze op.
'Jullie blijven hier, anders loopt het slecht voor jullie af!' dreigt de man met de afluisterapparatuur.
Björn knikt braaf. 'Natuurlijk blijven we hier. Jullie zijn degenen met wapens, wij zijn maar een paar onschuldige kinderen.'
De mannen schieten in een bulderende lach. 'Ja, die is goed. Onschuldige kinderen. Nieuwsgierige, vervelende en eigenwijze kinderen zal je bedoelen. Kinderen die denken dat ze ons tegen kunnen houden.' Nog nagrinnikend verdwijnen ze naar boven.
Björn wacht totdat hij zeker weet dat de mannen verdwenen zijn.
'Nou, ik ben verschrikkelijk bang. Hadden we ons nu maar nergens mee bemoeid', zegt hij op een klagend toontje.
Alex, Maaike en Esmee kijken verbluft, maar Björn geeft hen snel een knipoog. Hij pakt zijn opschrijfboekje en zijn pen en begint te schrijven.
'Volgens mij zijn jullie ook bang', zegt hij ondertussen. 'Jullie durven niet eens meer iets te zeggen.'
Gelukkig snapt Maaike wat hij van plan is. 'Ja, ik ben ook heel bang', snikt ze. Maar ze glimlacht er hard bij.
Björn geeft zijn opschrijfboekje aan Alex. Maaike en Esmee buigen zich over zijn schouder om mee te lezen.

We moeten praten om de man die ons afluistert voor de gek te houden. Maar in dit boekje kunnen we een plan maken om de mannen tegen te houden. Ze kunnen ons wel horen, maar niet zien, dus ze zullen niet weten dat we door dit boekje met elkaar overleggen wat we echt gaan doen.

Alex, Maaike en Esmee steken hun duim op. Gelukkig snappen ze de bedoeling.

19.

Pff, wat is het lastig om een gesprek te voeren en tegelijkertijd op papier met elkaar te overleggen. Björn leest nog eens over wat hij in zijn opschrijfboekje heeft geschreven.

We moeten de mannen opwachten als ze weer terug in de keuken komen. Dan moeten we ze vastbinden. Omdat ze denken dat wij erg bang en verdrietig zijn, zullen ze er niet op rekenen dat wij klaarstaan om hen te grijpen. Daarna moeten we zo snel mogelijk rechercheur Willems opbellen, zodat hij de mannen op kan pakken en de wapens in veiligheid kan brengen.

'Ik wou dat mijn moeder hier was, dan kon ze me even knuffelen', zegt Björn op een halfhuilend toontje terwijl hij het opschrijfboekje doorgeeft.
Ondanks alle spanning proest Maaike het uit. Björn kijkt haar kwaad aan. Als de mannen hen horen lachen door het zendertje dat ze mee hebben, zullen ze meteen doorhebben dat er iets niet klopt.
Gelukkig slaagt Maaike erin om het proesten over te laten gaan in een paar flinke nepsnikken. 'Ja, ik wil ook naar mama.'
Ondertussen neemt ze de pen en schrijft ze onder Björns aantekening:

Waarmee wil je die mannen vastbinden?

Björn schrijft:

Met dat touw waar het nepvlees zogenaamd aan hangt te drogen.

Alex, Maaike en Esmee kijken naar boven. Alex steekt zijn duim op. Goed plan. Hij maakt een gebaar met zijn hand, dat betekent dat de anderen door moeten praten. Björn knikt.
Terwijl Björn op extra luide toon klaagt dat hij zo bang is en Esmee snikt dat ze nooit meer nieuwsgierig zal zijn, klimt Alex op de oude tafel om het touw los te knopen. Gelukkig maakt dit vrijwel geen geluid. Björn kan zich niet voorstellen dat de mannen dat kunnen horen, tussen het gejammer door.
Het touw zit behoorlijk los en al snel heeft Alex de knopen eruit gehaald. Hij geeft het touw aan Björn. Die voelt er even aan en knikt goedkeurend. Het touw is sterk en lang genoeg om de mannen mee vast te binden.
Maar dan geeft Maaike hem een duw. Met een waarschuwend gezicht wijst ze met haar rechterhand naar de trap. Haar linkerhand houdt ze achter haar oor.
Björn spitst zijn oren? Hoort hij ook iets op de trap?
Eerst hoort hij helemaal niks. Maar even later klinkt er een zacht geschuifel op de trap. Er is iemand onderweg naar de keuken.
Björn kijkt naar het touw in zijn handen. En nog voordat hij erover na kan denken of hij het nu al moet gebruiken of niet, ziet hij een stuk rood fluweel. Hij herkent het onmiddellijk. Het is de jurk van jonkvrouw Annechien. De vrouw met het rode haar. De vrouw met het zendertje die hen achtervolgde op de eerste dag dat ze hier in het kasteel waren.
Nog voordat de vrouw helemaal in de keuken staat, gooit Björn het touw al over haar heen.

‘Snel, help mee om haar handen en voeten vast te binden’, gilt hij naar zijn vrienden.
Gelukkig komen de anderen meteen in actie. Esmee en Maaike laten zich boven op de vrouw vallen. Maaike pakt haar polsen vast en Esmee klemt de voeten van de vrouw stevig tussen haar armen.
‘Laat me los. Ik wil jullie alleen maar helpen!’ gilt jonkvrouw Annechien. Haar middeleeuwse pruik is half voor haar ogen gezakt en aan alle kanten komt haar rode krulhaar eronderuit. Ze probeert zich los te wurmen, maar de Slimbo’s hebben haar goed vast.
‘Denk je echt dat we daar intrappen?’ gromt Björn.
Geholpen door Alex bindt hij het ene uiteinde van het touw om de polsen van de vrouw. En daarna slaat hij het andere uiteinde van het touw om haar voeten.
De vrouw doet haar uiterste best om los te komen, maar doordat ze niks kan zien, lukt het haar niet.
‘Oké jongens, ze zit vast. Laat maar los’, hijgt Björn.
Jonkvrouw Annechien zit met een knalrood gezicht op de grond. Ze ziet er niet bepaald meer uit als een jonkvrouw. Haar mooie jurk zit vol vegen en vlekken en is helemaal gekreukeld. En de zoom van haar jurk is zelfs gescheurd.
‘Maak mijn handen los, dan laat ik je mijn politiepenning zien. Ik ben van de politie en ik wil jullie echt helpen.’
‘Ik peins er niet over’, zegt Björn fel. Zijn blik valt op het afluisterapparaat. ‘Je vriendjes zullen alles wel gehoord hebben wat er hier gebeurd is, en waarschijnlijk zijn ze hier binnen een minuut om je te helpen. Wij gaan.’
Björn wenkt de andere Slimbo’s. Ze moeten maken dat ze wegkomen, voordat de twee mannen terug zijn en het slecht met hen afloopt.

20.

'Esmee, je bent geweldig. Wat goed dat je wat extra vermommingen mee hebt genomen.'
Björn kijkt in de spiegel die Esmee ook in haar tas had. De vermomming die hij nu draagt stelt niet veel voor, maar zal zijn achtervolgers hopelijk toch afschudden. Die zullen zoeken naar een jongen met kort, krullend haar die een pietenpak draagt. De jongen in de spiegel heeft steil, zwart haar dat half over zijn ogen heen valt. Daaronder draagt hij gewone kleren. Een onopvallende spijkerbroek en een rode trui. Het pietenpak heeft Björn onder die trui gepropt zodat hij meteen wat dikker lijkt.
Ook de andere Slimbo's zien er anders uit dan tien minuten geleden, maar tijd om daar lang bij stil te staan is er niet.
Ze staan in een klein, onopvallend torenkamertje. Veel bezoek komt er niet, er is ook niks bijzonders te zien. Maar de bende wapenhandelaars zal ongetwijfeld naar hen op zoek zijn en dit kamertje vast niet overslaan.
'We moeten zo snel mogelijk rechercheur Willems bellen', beslist Björn. 'Als hij nu komt, kan hij de hele bende gevangen nemen.'
Alex vist zijn mobieltje uit zijn zak en toetst snel het alarmnummer in. Een paar tellen later is hij al doorverbonden met het politiebureau.
'Met Alex van de Slimbo's. Mag ik rechercheur Willems even spreken? Het is heel dringend.'
Björn knijpt zijn handen tot vuisten. Het liefst wil hij de telefoon overnemen van Alex, hij is tenslotte de voorzitter van de club. Maar hij heeft, dom genoeg, zijn eigen mobiel thuis laten liggen en dus is het logisch dat Alex nu belt.

‘Is hij er niet? Kunt u me dan niet met hem doorverbinden?’
Björn schrikt en kijkt Alex aan. Die haalt hulpeloos zijn schouders op en luistert ondertussen naar de telefoniste aan de andere kant van de lijn.
‘Mevrouw, dit is ook dringend. Het gaat om wapensmokkelaars!’
De telefoniste houdt kennelijk een heel verhaal. Alex probeert er af en toe tussen te komen maar veel verder dan ‘ehm’ en ‘ja, maar ...’ komt hij niet. Hij rolt met zijn ogen en kijkt Björn aan.
Die heeft nu geen geduld meer. Ergens op het terrein worden wapens verhandeld en ze verdoen kostbare minuten met dit gesprek. Hij rukt de telefoon uit Alex’ hand en brengt hem naar zijn oor.
‘Mevrouw, luister. Wij zijn de Slimbo’s en hebben al vaker met rechercheur Willems samengewerkt. U belt hem nu op en zegt dat wij zijn hulp nodig hebben op het kasteel. Zolang hij er nog niet is, zullen wij proberen de wapenhandel tegen te houden, maar ik kan u niet beloven dat dit lukt zonder hulp van de politie.’
Met een kwaad gezicht schuift hij Alex’ mobieltje weer in elkaar en geeft hij het terug.
‘Zei je nou dat wij de wapenhandelaren tegen gaan houden?’ Esmee kijkt hem met bange ogen aan. ‘Kunnen we niet beter zo snel mogelijk naar het hoofdkwartier gaan?’
‘En dan de wapenhandelaren hun gang laten gaan?’ Björn fronst verontwaardigd zijn wenkbrauwen. ‘Wie weet naar welk gevaarlijk land ze die wapens brengen. Straks breekt er ergens een oorlog uit omdat wij de levering van de wapens niet hebben tegengehouden!’
Vreemd genoeg voelt hij helemaal geen angst meer. Hij kan alleen nog maar denken aan de wapens die nu waarschijnlijk allemaal al verstopt liggen onder het hooi op de hooiwagen. Waarschijnlijk zijn de Slimbo’s de enigen die de wapens kunnen tegenhouden.

‘En als ze die wapens nu eens gebruiken om op ons te schieten?’ Maaike slaat haar armen over elkaar, maar Björn ziet dat haar handen trillen.
‘Dat doen ze niet. Er lopen veel te veel mensen rond.’ Hij kijkt zijn vrienden vol zelfvertrouwen aan.
Alex, Maaike en Esmee kijken elkaar ook aan. Even blijft het stil en dan schraapt Alex zijn keel.
‘Oké, ik doe mee. Maar zodra ik een wapen zie, ben ik weg. We hebben al aardig wat misdrijven opgelost, maar wapens vind ik iets heel anders dan een gewone inbraak of zo.’
‘Ik doe ook mee’, knikt Maaike. ‘We moeten wel, want wie doet het anders?’
Björn kijkt naar Esmee. Die staart naar de grond en knippert met haar ogen.
‘Goed, ik ben ook van de partij’, fluistert ze tenslotte.
Björn knikt. ‘Fijn.’ Hij kijkt zijn vrienden dankbaar aan. ‘Dan gaan we nu naar de schuur.’
‘De schuur?’ Drie geschrokken gezichten staren Björn aan.
‘Ja, daar zijn die wapens. En ik hoop dat er niet al te veel bendeleden in de buurt zijn. Waarschijnlijk zijn die neptuinman en zijn maatjes ons nu overal aan het zoeken. Ze zullen denken dat we zo snel mogelijk uit de buurt willen komen, maar bij de schuur zullen ze ons niet zo snel verwachten.’
Björn wacht niet op het antwoord van zijn vrienden, maar loopt naar de deur van het torenkamertje.
‘Laten we niet alle vier tegelijkertijd die kant op lopen. Ik ga eerst. Ik wacht op jullie aan de achterkant van de schuur, achter die bosjes.’
Hij luistert eerst goed voordat hij de deur opent. Gelukkig is er niemand in de buurt. Maar van beneden klinkt het geluid van stemmen. Zijn het bekende stemmen? Voor zover hij na kan gaan niet. Maar dat wil niet zeggen dat de kust veilig is. Om iedere hoek kunnen wapenhandelaars staan om hem te pakken.

Björn voelt het zweet over zijn rug lopen. Nu hij alleen is, is hij ineens toch wat angstiger.
Hij is nu onder in de toren. Als hij de houten deur tegenover hem open doet, staat hij weer midden op het kasteelplein. Tussen de mensen. Misschien tussen de schurken.
Hij duwt de deur open en ademt diep in. Nu moet hij zo gewoon mogelijk doen. Dat valt het minste op. Hij kijkt het plein over. Het is er nog steeds erg druk, maar bekende gezichten ziet hij er zo snel niet tussen. Of toch? Daar heb je die man weer die hem ook al opviel toen hij op weg was naar de keuken. Die man die een beetje op rechercheur Willems lijkt.
Plotseling blijft zijn adem steken in zijn keel. De man kijkt hem recht aan, geeft hem een knipoog en wenkt onopvallend met zijn hand. Die man ... dat ís rechercheur Willems!

21.

'Wat doet u hier? En hoe herkende u mij?' Björn staart verbaasd naar de man naast hem. Ze lopen over het grasveld en blijven af en toe bij een van de kraampjes staan. Onopvallend, net zoals de andere bezoekers van de kastelendag.
'Ik kan beter aan jou vragen wat jij hier doet.' De stem van de rechercheur klinkt streng. 'Volgens mij had ik jullie gevraagd om je niet meer in de buurt van het kasteel te laten zien.'
Björn slikt. Hij kan zich de waarschuwing nog goed herinneren.
'We konden ons werkstuk niet afmaken zonder nog een keer naar het kasteel te gaan.'
Hij kijkt vanuit zijn ooghoeken naar het gezicht van rechercheur Willems en is blij als hij ziet dat de rechercheur even glimlacht.
'Tja, ik had het kunnen weten ... Ik herkende je trouwens aan je schoenen. Die had je ook aan toen je op bezoek kwam op het bureau en er zijn maar weinig jongens met twee verschillende schoenveters in hun schoenen.'
Björn kijkt naar zijn schoenen. In zijn linkerschoen zit een zwarte veter. Maar de veter van zijn rechterschoen is knaloranje. Dat rechercheur Willems daar op let!
De rechercheur koopt een paar oliebollen bij een kraam en gaat Björn voor naar een bankje. 'Ziezo, hier kunnen we in de gaten houden of we niet afgeluisterd worden. Vertel nu maar eens snel wat jullie ontdekt hebben.'
Björn pakt een oliebol aan en denkt na. Hij heeft geen tijd om het hele verhaal te vertellen en daarom vertelt hij alleen dat ze in de geheime kamer een man ontdekten die op dit moment wapens aan het verstoppen is in de hooiwagen in de schuur.

Rechercheur Willems spert zijn ogen wijd open. 'Weet je dat zeker? En dat vertel je me nu pas?' Hij staat op. 'Blijf bij me in de buurt', gebiedt hij. Hij pakt een mobieltje en drukt een paar toetsen in. 'Hier rechercheur Willems. Omsingel de schuur achterin de kasteeltuin. Binnen vijf minuten verwacht ik iedereen daar. Denk eraan dat jullie niet opvallen.'
Zonder nog op Björn te letten, loopt de rechercheur met grote stappen over het grasveld. Björn heeft grote moeite om hem bij te houden. Hij struikelt over een scheerlijn van een of andere middeleeuwse tent en valt op zijn knieën op het gras. Snel staat hij weer op. Zijn enkel doet zeer maar daar kan hij nu niks aan

Hij speurt om zich heen waar de rechercheur zo snel is
ven.
'Dus daar ben je!' Een ijzige stem sist in zijn oor en zijn bovenarm wordt hardhandig vastgepakt. 'Jij dacht zeker slim te zijn?'
Björn voelt zijn hart een slag overslaan en zijn knieën beginnen te bibberen. Hij hoeft niet eens opzij te kijken om te weten dat de tuinman die hij net ook al in de keuken zag, hem beetgepakt heeft. Hoe heeft de man hem zo snel herkend?
'Ik weet niet wie u bent. Laat me los', zegt Björn met een verdraaide stem.
'Je had je pruik beter vast moeten maken', zegt de man met een valse grijns.
Met zijn vrije arm voelt Björn aan zijn pruik. Die is inderdaad scheefgezakt en hij voelt zijn eigen krullen er aan alle kanten onderuit komen.
Waar is rechercheur Willems? Wat zal de man met hem doen? Björn bibbert van angst.
'Waar zijn je vriendjes?'
'Ik weet het niet', antwoordt Björn naar waarheid.
De man verstevigt zijn greep om Björns bovenarm. 'Ik zou daar dan maar eens heel goed over nadenken, anders kon het met hen nog wel eens slechter aflopen dan met jou.'
Björn slikt. Zijn mond voelt droog aan van angst. Hij kijkt om zich heen. Hoe kan rechercheur Willems nu zo snel verdwenen zijn?
'Als je om hulp roept, krijg je daar de rest van je leven spijt van', dreigt de man. 'Je loopt met me mee, alsof we gewoon een gezellig wandelingetje gaan maken.'
'Waar gaan we heen?'
'Dat merk je vanzelf wel.'
Met knikkende knieën loopt Björn mee. Veel keus heeft hij ook niet. Ze steken het grote grasveld over en lopen in de richting
bos. Jammer genoeg niet naar de schuur waar inmid-

dels alle aanwezige politieagenten zich al wel verzameld zullen hebben.
'Zal ik hem even overnemen?' Plotseling staat de andere tuinman voor hun neus. Tuinman Evert.
'Graag', zegt de andere man. 'Ik vroeg me al af waar je was. Ik moet terug naar de wagen om de lading te controleren. Zorg dat we op een goede manier van deze nieuwsgierige bemoeial afkomen.'
'Geen probleem. Het bos is bijna helemaal verlaten.'
Voordat Björn er erg in heeft, wordt hij door de zojuist opgedoken tuinman meegetrokken het bos in. Eerst een aantal meter over het pad, maar dan slaat de tuinman ineens linksaf. Van het pad af. 'Meekomen', snauwt hij.
Björn kan zich niet herinneren dat hij ooit eerder zo bang is geweest als nu. Wat zal de man met hem doen? Hij zal hem toch niet neerschieten of zo? Hier in het bos zal bijna niemand hem horen als hij om hulp roept. En als er al iemand in de buurt is, zal diegene eerst op de paden gaan zoeken en niet zomaar tussen de bomen, ver van het pad af.
De tuinman duwt hem voor zich uit tot het pad niet meer te zien is. 'Blijf hier maar staan.'
Verbeeldt Björn het zich nu of klinkt de stem van de tuinman ineens een stuk vriendelijker?
Aarzelend blijft hij staan. Hij durft de tuinman niet aan te kijken. Maar tot zijn verbazing hoort hij de tuinman zachtjes grinniken. Geen gemene lach, zoals die andere tuinman heeft, maar met een vrolijk, vriendelijk geluid.
'Björn, je bent veilig. Ik ben een collega van rechercheur Willems. Ik heb de afgelopen weken als tuinman op het kasteel gewerkt om zo aan te pappen met de andere tuinman. Die heeft een flinke bijbaan als wapenhandelaar en gebruikt de schuur van dit kasteel als een soort illegale winkel. Maar dat had je allemaal zelf al ontdekt, geloof ik.'

Nu duizelt het Björn helemaal. Dus deze tuinman hoort niet bij de bende?
Björn draait zich om en kijkt de tuinman aan. Hij gelooft het nog steeds niet helemaal. Maar de tuinman heeft een politiepenning in zijn hand als bewijs.
'Dus u gaat mij helemaal niks doen?' Björn hoort hoe zijn stem bibbert. Maar nu is het van opluchting en niet meer van angst.
'Nee, ik heb van rechercheur Willems de opdracht gekregen om jullie ver van de schuur vandaan te houden. Helaas heb ik je vrienden niet kunnen herkennen. Jullie zijn erg goed in het vermommen.'
Ondanks alles glimlacht Björn trots om het compliment. 'Esmee is onze spion. Die weet wel hoe een goede vermomming eruit ziet.'
'Weet jij waar ze zijn?'
'Nou, we hadden afgesproken aan de achterkant van de schuur. Als ze daar niet zijn, dan weet ik het niet.'
Björn voelt zijn angst weer terugkomen. Nu is hij zelf wel in veiligheid, maar hoe zit het met Alex, Maaike en Esmee? Zijn die ook gesnapt door de bende of zijn ze nog veilig?'
'Hoe zien ze er nu uit?' De politieagent kijkt Björn vragend aan en snel beschrijft Björn zijn vrienden.
'Goed, dan blijf jij hier. Hier ben je veilig. Ik zal proberen je vrienden hier ook te brengen.'
De politieman draait zich om en wil al weglopen.
Maar Björn schudt zijn hoofd. 'Ik blijf hier niet. Ik help mee zoeken.'

22.

'Ziet u dat blonde meisje met die vlechten? Dat is Maaike.' Björn en de agent, die er nog steeds uitziet als een tuinman, zitten op een grote steen die op zo'n vijftig meter van de schuur in de tuin staat. Bij de schuur is niks bijzonders te zien, maar Björn heeft van de agent gehoord dat er minstens zes agenten in een hinderlaag om de schuur heen liggen. En in de schuur zijn de wapenhandelaren nog steeds bezig om hun wapens te verstoppen.
'Ik zal naar Maaike toegaan en haar naar het bos sturen', zegt de agent.
Björn knikt. Hij kijkt toe hoe de agent rustig op Maaike afslentert. Die heeft nog niets in de gaten en doet alsof ze een paar bloemen bestudeert. De agent is nu vlak bij haar en steekt zijn hand al uit om haar op haar schouder te tikken.
Maar dan springen onverwachts Esmee en Alex tevoorschijn vanachter een paar bomen. Esmee stompt de man in zijn maag en Alex hangt iets om zijn nek.
'Nee, niet doen!' schreeuwt Björn. Hij springt op maar het is al te laat. Alex heeft zijn Wind-Mee-Machine om de nek van de agent gehangen en zo te zien staat de uitvinding op volle sterkte aan. De man schiet met een sneltreinvaart vooruit. Eerst dwars door een grote groep mensen heen en dan regelrecht op een grote eikenboom af waar hij met volle vaart tegenaan knalt. Even wankelt hij en dan valt hij bewusteloos op de grond.
Een paar mensen beginnen te gillen. 'Een dokter, er moet een dokter komen', roept een vrouw met een hoge stem.
Maaike, Esmee en Alex sprinten op Björn af. 'Je leeft nog!' gilt Esmee.

'Sukkels, die man was een agent', zegt Björn boos.
'Een agent?' Maaike kijkt Björn verbijsterd aan.
Maar Alex en Esmee kijken met open mond naar de schuur. Björn volgt hun blik en ziet waar Alex en Esmee naar kijken. Bij de schuur is een enorme worsteling aan de gang.
Rechercheur Willems is in gevecht met de slechte tuinman en een paar andere mannen zijn ook met elkaar aan het vechten. Waarschijnlijk de andere wapenhandelaren tegen de andere politieagenten.
Plotseling gaan de grote schuurdeuren open. Een grote tractor rijdt naar buiten met een grote, platte wagen achter zich aan. Op de wagen liggen allemaal hooibalen.
Björn heeft onmiddellijk door wat er aan de hand is. De wapens zitten in het hooi verstopt en terwijl de agenten hun handen vol hebben aan de andere wapenhandelaren, probeert een van de andere mannen van de bende te ontsnappen met de wapens.
'We moeten die wagen tegenhouden!' schreeuwt Björn boven alle herrie uit.
Hij denkt snel na. De enige manier waarop de wagen het terrein kan verlaten, is door de grote toegangshekken. Als ze die op tijd dicht kunnen krijgen, zal de tractor daar moeten stoppen. En als ze dan de bestuurder van de tractor op de een of andere manier in een val kunnen lokken, is er nog een kleine kans. Maar hoe kunnen ze eerder bij het hek zijn dan de tractor?
'Je Wind-Mee-Machine!' schreeuwt Björn naar Alex.
'Die is kapot.' Alex wijst naar de eikenboom waar de politieman onderzocht wordt door een inmiddels aanwezige EHBO'er. 'Maar misschien heb je wat aan mijn TWMM?' Hij haalt een apparaat uit zijn tas dat sprekend op de Wind-Mee-Machine lijkt, alleen iets groter en groen met blauw gestippeld.
'Wat is dat?'
'Mijn nieuwe Turbo-Wind-Mee-Machine. Gaat bijna dubbel zo

hard als de WMM en kan vier mensen tegelijkertijd vooruit krijgen.'
'Perfect!'
Björn kijkt nog even naar de worsteling bij de schuur. Die is nog in volle gang, maar het lijkt erop dat de agenten aan de winnende hand zijn. Gelukkig.
Snel stelt Björn de Slimbo's op in een rij. Alex achteraan, de meisjes in het midden en zelf gaat hij vooraan staan.
'Alex, start de TWMM!'
Even later vliegt Björn naar voren. Alex heeft niet overdreven. De TWMM laat hen zo hard naar voren schieten dat Björns voeten het gras niet eens raken. Hij ziet mensen en bomen langs flitsen alsof hij over de snelweg rijdt. Daar is het bos al. Björn ziet de bomen recht op zich afkomen.
'Sturen Björn, jij bent de voorste. Spreid je armen!' hoort hij de stem van Alex roepen.
Björn spreidt zijn armen als de vleugels van een vliegtuig en voelt hoe hij nu de richting kan bepalen. Precies voor de eerste rij bomen maakt hij een bocht naar links. Hij hoort het gillen van Maaike in zijn oor.
Na nog een paar bochten komt het toegangshek in zicht.
'Opgepast!' schreeuwt Alex. 'We stoppen.'
Hij heeft het nog niet gezegd of Björn voelt hoe de kracht die hem vooruit duwde ineens verdwenen is. Zijn voeten raken de grond weer en hoe hard hij ook probeert zichzelf bij te houden, hij struikelt toch over zijn voeten en komt hard op de kiezels van de oprijlaan terecht. Pal voor een tafel met een groot roodwitgeblokt tafelkleed. Er hangt een bordje bij waarop staat: EHBO. Maar er zit niemand bij.
Björn kijkt snel achterom. De tractor is nog niet te zien, maar hij hoort hij hem al wel aankomen.
Hij graait het tafelkleed van de tafel en wenkt de anderen, die inmiddels ook weer overeind gekrabbeld zijn.

‘Esmee jij doet het hek dicht en bindt het vast met de riem van je jas. Daarna verstoppen we ons achter die dikke boom.’
Gelukkig staat er een pracht van een boom bij het hek. Esmee rukt de ceintuur uit haar jas, sluit het hek en maakt een paar ingewikkelde knopen in het touw. Daarna verstoppen ze zich achter de dikke boomstam.
Net op tijd. Daar komt de tractor aan. Hij rijdt hard. Björn ziet het nijdige gezicht van de bestuurder. De man slaat boos met zijn vuist op het stuur en laat de wagen stoppen.
Hij springt uit de tractor en loopt op het hek af.
‘Nu!’ Björn rent naar voren. Voordat de man ook maar een kik kan geven, gooit Björn het kleed over hem heen. De uiteinden knoopt hij vast, geholpen door zijn vrienden. De man krijgt niet eens de kans om iets terug te doen.
‘Goed werk, Slimbo’s!’
Björn kijkt verrast achter zich. Daar staat rechercheur Willems. Zijn gezicht zit vol blauwe plekken en schrammen, maar in zijn hand heeft hij een stel handboeien waarmee hij de man bij het hek boeit.
‘Nu hebben we alle mannen van de bende te pakken’, grijnst de rechercheur. ‘Alleen de wapens zelf ontbreken nog.’
Björn schiet in de lach. ‘Ik zou maar niet al te ver gaan zoeken.’

23.

'Kom binnen.' Björn staat bij de voordeur en doet netjes een stap opzij.
Rechercheur Willems stapt naar binnen, gevolgd door twee van zijn collega's.
Björn wacht tot de agenten hun jas aan de kapstok hebben gehangen en gaat hun dan voor naar de woonkamer. Daar is het een drukte van belang.
Natuurlijk zijn de Slimbo's allemaal aanwezig, maar ook hun ouders en zelfs een journalist van de krant.
'Dat was nog eens een spectaculaire kastelendag, mensen', begroet rechercheur Willems hen.
Iedereen schiet in de lach.
Björn helpt zijn moeder met het inschenken van de koffie en de cola.
Als iedereen wat heeft, schraapt de rechercheur zijn keel.
'Goed, zoals iedereen inmiddels weet, zijn er tijdens de kastelendag een aantal mannen gevangen genomen. We wisten al heel lang dat het kasteel gebruikt werd door een bende wapenhandelaren, maar we konden er maar niet achter komen wie er precies in de bende zaten, waar de wapens vandaan kwamen en hoe ze precies van de ene bende naar de andere overgingen. Vandaar dat twee van mijn collega's besloten om als personeel van het kasteel in dienst te gaan.'
'Twee?' Björn kijkt verbaasd. 'Ik weet dat tuinman Evert een agent was. Maar wie is de andere dan?'
Rechercheur Willems grinnikt. 'Dat was een vrouwelijke collega. Jullie hebben haar een paar keer gezien. Ze heeft rood haar.'
Björn slaat zijn hand voor zijn mond en kijkt sprakeloos naar

zijn vrienden. Ook Maaike, Esmee en Alex kijken verschrikt.
'U bedoelt toch niet de vrouw die de rol van jonkvrouw Annechien speelde?' stottert Björn.
'Ja, die bedoel ik wel. De vrouw die jullie in de keuken hebben vastgebonden. Maar ik heb haar vlak voor ik hierheen kwam nog gesproken. Ze neemt jullie niks kwalijk en vindt dat jullie knap speurwerk verricht hebben. Bovendien heeft ze jullie ook een poosje verdacht als medewerkers van de bende. Vandaar dat ze jullie in het begin volgde.'
Björn voelt dat zijn wangen nu minstens net zo rood zijn als het haar van de agente. Hij ziet dat zijn moeder bijna van haar stoel valt van het lachen en ook de andere ouders hebben de grootste schik.
Rechercheur Willems gaat verder met zijn verhaal en legt uit dat ze al een heleboel dingen wisten, maar toch nog steeds een paar vragen hadden. 'We kwamen er bijvoorbeeld maar niet achter hoe de wapens het terrein afgesmokkeld werden. Als Björn ons niet de tip over de hooiwagen had gegeven, hadden we dat nu nog steeds niet geweten en was de hele lading wapens ons ontglipt.'
'Dat was toch ook bijna gebeurd?' De journalist kijkt vragend op van de aantekeningen die hij maakt.
'Dat klopt. Toen we de schuur wilden binnenvallen, bleek dat de wapenhandelaren ons toch hadden gezien. Ze begonnen met ons te vechten waardoor de wagen de schuur uit kon rijden zonder dat we erachteraan konden. Gelukkig waren de Slimbo's ook toen op de juiste plaats.'
'Maar het had ook heel anders af kunnen lopen', rilt de moeder van Esmee.
De rechercheur knikt ernstig. 'Dat klopt. We hebben de Slimbo's niet voor niets gewaarschuwd dat ze bij het kasteel uit de buurt moesten blijven.'
Björn staart naar zijn schoenen. Rechercheur Willems heeft

helemaal gelijk. Het is goed afgelopen, op een paar blauwe plekken en schrammen na. Maar hij snapt nu wel waarom de rechercheur zo vreemd reageerde op het politiebureau. Dat was om hen te beschermen.
'Toch moet ik er eerlijk bij zeggen dat ik blij ben dat de Slimbo's niet naar mijn goede raad hebben geluisterd', gaat rechercheur Willems verder.
Björn durft weer op te kijken. Gelukkig kijkt niemand van de volwassenen erg boos. Zijn vader kijkt zelfs een beetje trots en geeft hem stiekem een knipoog.
'Het is allemaal goed afgelopen. Ook met Evert, die per ongeluk tegen een boom aangerend is. Hij heeft een paar flinke bulten, maar is op dit moment gewoon thuis bij zijn vrouw', vertelt de rechercheur nog.
De rest van de avond is het gezellig. Er worden grappen gemaakt en er wordt ook veel cola gedronken.
Pas na een uur staat rechercheur Willems op. Hij neemt met een handdruk afscheid en als hij weg is, staan de anderen ook op. Björn gaapt en zwaait zijn vrienden nog even uit.
En dan gaat hij naar boven. Ook al is het nog maar half negen, hij valt bijna om van de slaap.
Als hij zijn kamer binnenstapt, valt zijn oog op de stapel boeken op zijn bureau. Allemaal boeken die hij bij elkaar gezocht heeft voor het geschiedeniswerkstuk.
Het werkstuk! Björn kreunt. Dat moet maandag ingeleverd worden! En morgen is het zondag. Dan gaat hij naar de kerk en op bezoek bij zijn oma. Alex moet naar een verjaardag van een tante en Maaike en Esmee moeten ook met hun ouders op stap.
Even denkt hij na. En dan schudt hij zijn hoofd. Er is echt geen andere mogelijkheid.
Met een diepe zucht drukt hij op de knoppen van zijn polsograaf.

KOM SNEL, SPOED!!!